D0308645

COLLECTION FICTIONS

Les temps qui courent de Louis Jacob
est le trente-septième titre de cette collection.

DU MÊME AUTEUR

Avant-serrure, poésie, Trois-Rivières, Éditions des Écrits des Forges, 1977.

Manifeste: Jet/Usage/Résidu, poésie, Trois-Rivières, Éditions des Écrits des Forges, en collaboration avec Yves Boisvert et Bernard Pozier, 1977.

Double Tram, poésie, Trois-Rivières, Éditions des Écrits des Forges, en collaboration avec Bernard Pozier, 1979.

L'image titre, poésie, Trois-Rivières, Éditions Sextant, avec dessins d'André Jacob et photographies de Serge Mongrain, 1982.

Sur le fond de l'air, poésie, Trois-Rivières, Éditions des Écrits des Forges, 1984.

Des noirceurs du corps, poésie, Trois-Rivières, Éditions des Écrits des Forges, 1987.

Les trains d'exils, roman, Montréal, Éditions de l'Hexagone, en collaboration avec Réjean Bonenfant, 1987.

LOUIS JACOB

Les temps qui courent

roman

l'HEXAGONE

Éditions de l'HEXAGONE
900, rue Ontario est
Montréal, Québec H2L 1P4
Téléphone : (514) 525-2811

Maquette de couverture : Claude Lafrance
Illustration de couverture : André Jacob, *L'ordre naturel des choses*, 1990
Photo de l'auteur : Serge Mongrain

Photocomposition : Jean-Claude Lespérance

Distribution : Diffusion Dimedia inc.
539, boulevard Lebeau
Saint-Laurent, Québec H4N 1S2
Téléphone : (514) 336-3941 ; télex : 05-827543

Distique
17, rue Hoche, 92240 Malakoff, France
Téléphone : 46.55.42.14

Dépôt légal : premier trimestre 1990
Bibliothèque nationale du Québec
Bibliothèque nationale du Canada

ISBN 2-89006-366-6

Aux enfants et aux livres

Jour 0 — Genèse

À la fin de cette nuit-là qui avait été longue, le jour vint mettre au monde ce qui serait dorénavant. Moi.

Comme à l'habitude en ces occasions, la planète s'était couverte de marguerites blanches géantes. Le soleil plombait sur tous les côtés du globe. Il faisait beau puisque c'était l'été et, par hasard, cet été-là était très beau. Ce qui donnait l'impression d'un bonheur possible éternellement. Les mers baignaient calmement en elles-mêmes, tièdes et remplies à ras bords de poissons multicolores : poissons-papillons à collier, poissons-papillons à selle, chelmons à bec médiocre, bêches atlantiques, baleines, calmars ou thons. Des gros, des petits. Les anémones, les algues, les coraux coloraient de motifs mystérieux les vagues jade de l'eau presque transparente dans laquelle se promenaient tranquillement des langoustes heureuses et de paresseuses méduses. Sur les plages blanches et vierges, les tortues venaient se vautrer à plat ventre pour pondre leurs œufs dans la chaleur du sable fin. Dans les arbres, toutes sortes de fruits apparaissaient parmi les feuilles vertes et tendres sur lesquelles les cigales striaient de leur chant la brise légère. Dans les grottes, les stalactites et les stalagmites se rejoignaient plus rapidement qu'auparavant pour former ainsi de paisibles demeures à colonnades intérieures. Les volcans fleurissaient leurs flancs plutôt que de les brûler et les tempêtes ne détruisaient plus ce qui naissait un peu partout sur terre. Quand il pleuvait, c'était parce qu'il le fallait, pour permettre une germination meilleure encore. Les pluies étaient bonnes et brèves. Un bleu de pastel collait au ciel traversé par des vols d'hirondelles, d'outardes, de canards et de pélicans nonchalants. Les fourmis prenaient leur temps pour creuser leurs galeries sous les plaines fertiles où s'ébattaient des chevaux et peut-être même des bisons. Quelques marmottes aussi, et des renards amoureux. Cependant pas de chiens, ni de chats, ni de perruches, ni de poissons rouges, ni d'avions. Mais des abeilles, sûrement. Les ruisseaux limpides, peuplés de nénuphars, de joncs et de truites farouches, parcouraient de mille reflets les berges vertes de grenouilles. Des arbres trop gros dormaient par terre, qui retournaient nourrir ainsi les plus jeunes d'entre eux, debout, appelés à les rejoindre un jour à leur tour. Le sous-bois transpirait doucement de tendres parfums et la lumière du jour, çà et là, se reposait sur les fragiles toiles que les araignées tissaient patiemment entre les écorces. Toute la forêt écoutait le chant des tourterelles, lesquelles se faisaient la cour avec passion. Il régnait cet été-là une harmonie incomparable entre toutes choses de la nature. Le lierre courait sur les pierres et les loups après les souris. Rien n'était inutile. Des montagnes les plus hautes aux eaux les plus profondes, des insectes fragiles aux pachydermes démesurés, rien n'était de trop ni ne manquait. Ça respirait de vie. Les champs jaunes étaient jaunes et le fond de l'air était chaud et sec comme il se doit par beau temps. Un bel ordre régnait sur le monde à ce moment-là.

Mais comme d'habitude, ça ne dura pas. À peine quelques secondes. Ce n'était pas la première fois que cela arrivait. Et probablement pas la dernière. Comme toujours, l'histoire se répétait. Cette fois, c'était pour moi. Peut-être aurait-il mieux valu ne pas en faire tout un plat. Mais c'était beau de penser à cela en dedans, puisque c'était ainsi.

Jour 01 — Entre-deux

Cette journée-là avait donc commencé. Et, en plus, par moi. Ma mère savait mieux que les autres membres de la famille le chemin que j'avais emprunté pour sortir d'entre ses jambes. Mais elle ne le connaissait sûrement pas mieux que moi. Il faut faire ce trajet au moins une fois dans sa vie pour savoir exactement de quoi il en retourne. Plus tard, il s'agit de s'en souvenir. De toute évidence, tout ce beau monde qui m'attendait impatiemment à la sortie en fumant, buvant, discutant bruyamment, tous ces gens n'avaient pas conservé dans leur mémoire ce moment pourtant inoubliable. Si tel avait été le cas, ils auraient attendu que je sorte tout doucement dans le calme, me laissant seul avec ma mère et mon père.

— Bonjour, mon petit Bim ! C'est moi, ta maman, Manoume ! m'aurait dit ma mère épuisée, mais heureuse de découvrir mon joli minois.

— Bonjour, maman ! Je te trouve bien belle ! lui aurais-je répondu pour lui rendre la pareille.

— J'avais bien hâte de te voir. As-tu fait un bon voyage ?

— Oui, le voyage a été bon, mais je suis fatigué. Je suis content d'être enfin arrivé ! lui aurais-je répondu en me collant sur elle pour qu'elle me réchauffe dans les replis de sa peau mouillée de sueurs qui goûtait bon le sel maternel.

— Tu es très beau, mon petit Bim, et tu as l'air débordant de santé ! Je vais te présenter ton père qui a hâte de te parler ! m'aurait-elle chuchoté à l'oreille après m'avoir retourné sur elle.

— Oh oui ! C'est une fichue de bonne idée que tu as là, Manoume ! Je l'ai entendu parler si souvent de loin à travers toi, quand il collait sa bouche sur ton ventre et qu'il me disait : « Courage fiston ! Ce ne sera plus très long. T'auras qu'à pousser un bon coup. Quand ce sera l'heure, je serai là ! »

— Bonjour, gros Bim ! Moi, c'est Panoume. Mais t'as profité tout plein là-dedans, mon vieux ! T'es gras comme un voleur ! Et rouge comme une tomate ! m'aurait-il lancé pour m'enquiquiner affectueusement.

— Salut, papa ! Tu sais, ce sont maman et toi qui avez fait cela. Tant mieux pour moi si c'est réussi. Vous avez bien travaillé ! lui aurais-je répondu en guise de remerciements pour ses compliments.

— Mais t'es un chef-d'œuvre, mon Bim ! aurait-il enfin conclu.

— Ça me gêne un peu de vous l'avouer, mais je me sens fatigué. Je dormirais bien un petit peu avant de téter, si ça ne vous dérange pas ?

— Mais bien sûr ! Cela va de soi, voyons ! Tiens, couche-toi entre Manoume et Panoume. Tu seras au chaud. Je vais préparer mes seins pendant que tu sommeilles ! aurait alors suggéré ma mère en faisant aussi une petite place dans le lit à mon père heureux.

Ainsi, le monde n'aurait pas été à refaire. Mais cette première discussion que j'avais cent fois imaginée avant de sortir du ventre maternel n'eut jamais lieu. Je compris, au bout du tunnel, que l'univers imaginé pendant la grossesse n'existerait peut-être pas longtemps : animaux, végétation, ciel, mer, terre et eau allaient être troublés à tout jamais par la présence de ceux qui m'attendaient. Ou par ma venue. Je crois que, dès le stade embryonnaire, je faisais de l'appréhension.

Jour 1a — Voyage

Du lieu où j'étais, je savais déjà, pour avoir entendu discuter mon père et ma mère, que l'univers extérieur risquait fort de me décevoir lorsque j'y naîtrais et que je le confronterais à celui que j'avais imaginé à l'intérieur pendant neuf mois. Mais au bout de ce temps passé au chaud dans l'utérus de Manoume, il fallait bien me décider à aller voir de quoi retournait la réalité, même si j'hésitais un peu. Je n'y tenais d'ailleurs plus dans mon réduit si confortable, mais maintenant devenu trop exigu. Quoique je ne respirais pas dans le ventre de ma mère, j'éprouvais de plus en plus souvent la sensation d'étouffer.

Ce jour-là, j'entrepris donc de naître en me poussant dehors. Je plaçai ma tête dans la bonne direction, dans le sens de la vie, de l'autre vie. Je bandai les muscles de mes jambes et, après plusieurs minutes d'efforts soutenus, mon corps contracté en entier, je sentis le dessus de ma tête s'enfoncer dans la chair. Avant de poursuivre, j'hésitai un instant lorsque je compris qu'une fois engagé je ne parviendrais plus à faire marche arrière. Mes bras se coinceraient dans l'étau du tunnel et ne me seraient plus d'aucune utilité. Je compris aussi au même moment qu'il me faudrait pousser obstinément pour ne pas demeurer prisonnier de ce passage.

J'entendis Manoume gémir fortement et Panoume tenter de la rassurer maladroitement. J'imaginais ce dernier, impuissant, s'agiter autour de ma maison. D'autres voix indistinctes marmonnaient autour de Manoume et de Panoume. Mes parents n'étaient donc pas seuls à m'attendre comme je l'avais souhaité, moi qui aimais le calme et l'intimité du début des choses. Évidemment j'étais à l'envers des autres, de tout le monde : d'abord parce que j'avais la tête en bas et que je plongeais vers la vie à l'envers, puis parce que le début des choses se passe exactement de la façon contraire à celle souhaitée de l'intérieur du ventre. C'est la fureur qui se manifeste toujours en premier lieu. L'accalmie survient par la suite. On devrait s'y attendre. On devrait le savoir. On devrait connaître et retenir ce fait une fois pour toutes. Mais je m'accrochais à l'idée du début tranquille, comme si cela permettait d'abolir du temps et de la souffrance.

Je sentis bientôt le tunnel se contracter puis se dilater, ce qui eut pour effet de me repousser légèrement vers mon antre pour aussitôt m'aspirer à nouveau et engager ma tête dans le conduit. Mon nez s'aplatit contre la paroi humide et, du coup, le désir de sortir de cette posture inconfortable s'empara de moi. J'activai non seulement mes pieds et mes jambes, mais bientôt tout mon corps en une sorte de tortillement spasmodique. Il fallait que je parvienne à me sortir de là. Manoume m'aidait comme elle le pouvait. Elle rapetissait et agrandissait le tunnel au prix d'efforts fournis en dépit de la douleur que cela semblait lui causer. À certains moments, elle hurlait de douleur. J'entendais alors Panoume l'encourager maladroitement en lui parlant de moi.

— Ahhhhh !

— C'est ça ! Crie un bon coup qu'il sache où nous sommes ! Il va nous trouver au son, le petit !

— Ahhhhhhhhhh !

— Mais oui ! C'est bien ! Continue ! Ça vient ! Tu fais de beaux, beaux, beaux efforts ! C'est mieux que bien !

— Ahhhhhhhhhhhhhhh !

— Voilà qui est encore, encore, encore mieux ! Tu vas voir ! Ce ne sera plus long maintenant ! Tiens, la première chose qu'il va faire en sortant ce petit, ce sera de se boucher les oreilles ! Mais il sera content de nous avoir trouvés rapidement ! Pousse, ma Manoume !

— Ahhhhhhhhhhhhhhhhhhhhhh !

— Bien ! Tu fais cela très bien ! Dès qu'il se montre le bout du nez, je te le dis.

— Ahhhhhhhhhhhhhhhhhhhhhhhhhhhhhhh !

— Quelle mère il a ce petit ! Et quelle voix il va posséder ! Ah ! Je vous aime beaucoup tous les deux !

— Ahhhhhhhhhhhhhhhhhhhhhhhhhhhhhhhhhhhhhh !

— Juste à t'entendre, il ne pourra pas se perdre ! Il saura où aller dans la vie ! Il aura une voix intérieure forte !

— Ahhhhhhhhhhhhhhhhhhhhhhhhhhhhhhhhhhhhhhhhhhhh !

Il n'était pas trop tôt quand je sentis mon nez se dégager. J'avais l'impression d'être une pieuvre flasque et molle qu'on tentait de retirer de l'eau. Quelqu'un me passa les doigts sous le menton et me tira rapidement hors du tunnel. Des voix, des oh ! des ah ! des as-tu vu ça ! bourdonnaient à mes oreilles comme si j'étais une ruche suspendue au milieu d'un essaim d'abeilles. Je reçus la claque et ce fut pour moi le signal de chialer à qui mieux mieux. À ce moment, j'entrouvris les yeux lentement, à contre-cœur, sachant que je quittais pour toujours mon lieu connu et qui m'était cher pour un autre dont j'ignorais à peu près tout. J'étais parvenu à ouvrir mes yeux, mais tout demeurait obscur devant moi. J'avais peur d'être né aveugle. Cependant, lentement, la brume s'effaça de mon regard pour faire place à l'image de la réalité, cette réalité que j'avais tenté d'imaginer maintes et maintes fois.

Je vis le monde. Il me fit une impression bizarre. Je le trouvais marrant parce qu'il ne correspondait pas à l'image que je m'en étais fait. Ni à celle que je m'étais faite de moi-même et des autres, ces derniers que je regardais avec étonnement puisqu'ils devaient constituer, à mon sens, une sorte de miroir pour moi, une sorte de représentation, même imprécise, de moi-même. Je crus donc que j'étais marrant moi aussi, jusqu'à ce que je comprenne que j'étais encore suspendu par les pieds. En sortant de mon trou, le médecin m'avait montré le monde à l'envers en me maintenant dans cette position. Ce jour-là, je sus que tout était relatif, que je n'étais pas nécessairement marrant. Je me remis donc à chialer encore plus fort. Tous s'esclaffèrent, ce que je n'appréciai pas du tout, car je ne voyais rien de drôle dans la relativité et le monde à l'envers.

Rapou, le médecin, me toucha au ventre, me nettoya les orifices du visage puis il coupa le cordon qui me retenait à Manoume. Cela pinça légèrement. Je commençais à en avoir ras le bol de tout ce cirque, d'autant plus que je m'étais rendu compte que je n'étais pas marrant. J'entendais toujours les oh ! et les ah ! et les as-tu vu ça ! Panoume me prit alors dans ses bras maigres et me dit de sa grosse voix :

— Allez, mon petit ! Viens voir ta mère pour faire connaissance ! Ensuite on va te présenter aux parents qui sont ici ! Il ne nous restera qu'à vivre heureux ensemble pendant longtemps !

Il me déposa sur la poitrine molle et douce de Manoume qui suait encore de ses efforts. Elle m'accueillit comme une mère, en silence. Elle souriait mais ne disait mot. Son amour pour moi avait construit un lit sur son ventre. Ma mère respirait profondément et calmement. J'entendis un avion sillonner le ciel.

Jour 1b — Généalogie

Je nageai sur le ventre de ma mère et atteignis ses deux seins gonflés de lait. Dès que j'appuyais ma main sur l'un d'eux, il se mettait à pisser du liquide blanc tellement il en était gorgé. Manoume m'invita à boire un coup en prenant ma tête pour l'approcher un peu plus d'un de ses mamelons. Je déclinai l'offre en résistant à la pression de sa main sur ma nuque. Elle comprit que je devais avoir plus hâte de dormir que de manger après l'épreuve que je venais de traverser. Elle-même attendait avec une certaine impatience le moment où la chambre serait désertée par les visiteurs. Elle tombait de sommeil, épuisée par les efforts fournis pour l'accouchement.

Je continuai de me traîner sur le ventre liquide de Manoume. Lorsque je parvins à son cou, elle m'enlaça tendrement tout en me couvrant de baisers. Panoume s'approcha de nous. Il m'embrassa sur le dos, puis il me prit dans ses bras, me souleva à la hauteur de sa poitrine et me fit faire un demi-tour pour que je sois face à tout le monde dans la chambre. J'étais rouge. J'entendis des avions traverser rapidement le ciel. Ma tête tomba à la renverse mais je ne vis qu'un plafond. Tous m'observaient. Maintenant, je ne savais plus où donner de la tête parce que mon cou ne parvenait pas à la maintenir en position verticale. Mon cou se balançait comme un ressort mou. J'avais l'impression d'être ridicule. Encore une fois, je ne voyais pas le monde à l'endroit puisque ma tête, impuissante à se redresser, se promenait penchée en faisant le tour du ressort. Ce qui m'obligeait à regarder le monde de côté. Il y avait tout de même de l'amélioration dans le sens de la relativité.

Mon père me fit faire le tour de la chambre afin que tous me voient. Puis il me porta dans les bras de mon grand-père Zop. « Voici le père de ta mère, Bim ! Si tu vis comme lui, tu t'ennuieras peut-être, mais tu deviendras plus que centenaire ! » Zop mesurait à peine un mètre cinquante et il avait l'air très vieux puisqu'il l'était. Je le trouvais beau. Je lui découvrais une mine sympathique. Je sentais qu'il était attachant. Et tra la li tra la la. Je me mis à baver avec le naturel de mon âge, c'est-à-dire avec beaucoup de naturel. Zop me prit dans ses bras et, ses yeux fixés sur les miens, il chantonna un air à lui :

Le p'tit bébé arrive, le p'tit bébé arrive.
On l'a amené ici, on l'a amené ici.
C'est pour lui faire faire un tour,
Le tour du monde pour refaire le monde.

Le p'tit grand-père s'en ira, le p'tit grand-père s'en ira,
qui jamais ne reviendra, qui jamais ne reviendra.
C'est pour lui faire faire un tour,
Le tour du monde pour quitter le monde.

Zop m'embrassa sur le front. Il était fragile à son âge. Ses mains tremblaient légèrement. Péniblement, à cause du dos courbé qui le rapetissait et le faisait pencher vers la terre, il fit un effort pour me faire passer de ses bras à ceux de Zin, sa femme, mère de sa fille et maintenant grand-mère. Ils réussirent à effectuer le transbordement du paquet d'hérédités sans trop de mal. Je me retrouvai collé sur l'épaule et la poitrine de Zin qui sentait les herbes autant que tout un champ du printemps. Elle eut un sourire de bonheur pour les autres que je ne vis pas mais que je ressentis lorsqu'elle me pressa très fort contre elle, comme si elle avait voulu me faire retourner d'où je venais afin de me protéger de quelque danger que je ne connaissais pas. Elle était un peu plus jeune que mon grand-père : c'était la mode, à l'époque, que les femmes soient plus jeunes que les hommes. Je devinais les inquiétudes de grand-mère Zin en écoutant, l'oreille collée à son cou, le sang circuler dans une veine jugulaire interne. Là, il y avait beaucoup de vie qui se promenait, qui faisait le tour de son corps à grande vitesse pour alimenter son cœur de la bonté qu'elle affichait sur un sourire. Et comme elle était bonne, elle était aussi inquiète. En général, bien sûr. Mais en particulier de moi. Ça se sentait, ça se voyait, ça se remarquait, etc. Je l'aimais déjà. Puis tout comme mon grand-père l'avait fait, elle me fredonna d'une voix qui sautillait sur une portée fatiguée un air de chanson :

Va dans le jour ton chemin
Et joue et chante dans le quotidien
Avant que la nuit n'ouvre les mains.

Et à cette heure jamais ne te retiens
Mais plonge vers l'éternel lendemain
Puisque tel est notre destin.

C'est à ce moment que deux mains me saisirent. Sans être brutales, elles furent fermes quant à leur intention. Ces mains s'entendaient comme larrons en foire. Lanoline, la sœur de ma mère, plus jeune qu'elle, mourait d'impatience dans son coin. Elle n'y tenait plus et s'était avancée entre Zop et Zin qui n'eurent d'autres choix devant son attitude résolue que de m'abandonner à ses mains. Elle me tenait à bout de bras devant elle. J'avais l'air bête. Je ne parvenais toujours pas à soutenir ma tête qui, après quelques incertitudes devant l'univers à l'endroit, retourna choir à nouveau sur le côté pour prendre appui sur l'épaule. Ma bouche formait un cul-de-poule et ma langue s'exhibait côté gauche, gauchement. Je bavais et ma salive coulait abondamment sur un des poignets de Lanoline qui s'en amusait. Quand les filins de bave atterrissaient sur sa peau, sa poitrine se soulevait sismiquement et elle poussait de petits cris étonnés. Des oh et des ah. Des iiiiiiiiiii aussi. Elle semblait me trouver un air bizarre mais elle n'en dit rien. Elle paraissait énervée. Et c'est d'elle-même qu'elle me remit à mon père qui me remit à ma mère qui me remit alors à ma place. Couchée sur le côté, Manoume approcha un sein qu'elle m'introduit dans la bouche et que je commençai à téter. C'était ce qu'il fallait faire en pareille circonstance. La chambre se vida alors des autres membres de la famille. Je demeurai seul avec mon père et ma mère. Au bout de quelques minutes, vite rassasié, je m'endormis profondément, avec le goût du lait chaud dans la bouche. Ma première année avait été longue comme une heure.

Jour 2

Quand je me suis réveillé ce matin-là, une année avait fait le tour de l'horloge des saisons. J'avais une année de bouclée, comme l'étaient mes cheveux, et je ne m'étais pas rendu compte du temps qui avait déjà déroulé un peu de son étoffe derrière moi. J'avais vécu d'un été à un autre. À mon âge, ce qu'on retient de l'existence se résume rapidement. Je me souviens, puisque ce bruit m'a parfois tiré du sommeil précipitamment, avoir entendu quelques avions passer dans un grand fracas. Le bois de mon berceau vibrait alors et mes oreilles s'emplissaient d'air froid, à ce qu'il me semblait. À part ces drôles d'oiseaux et quelques tétées mémorables, des maux de ventre à vouloir se vider le corps d'un coup et quelques cris et conversations dans la maison, rien de très important n'a laissé sa trace en moi qui me la rende indélébile puisque je ne m'en souviens pas. L'importance des événements dépend de la place qu'ils occupent dans la mémoire. Le contraire est vrai aussi, je crois. C'est une idée assez commune sur laquelle tout le monde s'entend. C'est facile d'être en accord avec des choses dont le contraire est aussi vrai, à ce que j'ai appris par ouï-dire. Mais à un an, souvent on en a déjà assez d'avoir vécu aussi longtemps. C'est peut-être par trop plein de souvenirs ou pour éviter de s'en faire d'autres que des enfants refusent de continuer de faire partie des familles. Certains préfèrent couper court aux spéculations sur l'espoir, sur le bonheur, sur le malheur, sur l'origine et la fin, sur l'amour en solitaire, sur l'amour à deux, à trois, à quatre, etc.

C'est ce que je compris d'une de ces conversations que tinrent Manoume et Panoume en ma présence, un soir de tétée mémorable. Voilà pourquoi je m'en souviens. C'est sûrement la quête du lait qui transforma en souvenirs ces propos qui m'amenèrent à m'interroger pour la première fois de ma vie. Ce soir-là, Panoume racontait que le journal quotidien avait rapporté plusieurs cas — ce n'était pas encore à l'état épidémique mais pouvait le devenir — qui paraissaient être des suicides de jeunes enfants. De très jeunes enfants, puisqu'ils avaient entre un et quatre ans. Le journaliste que mon père citait avait constaté plusieurs cas — 2374 en tout dans notre seule ville — d'étouffements avec des hochets, de régurgitations et de réingurgitations jusqu'à ce que mort s'ensuive, d'étranglements à travers les barreaux des lits, de plongeons tête première pour s'éclater crâne mou sur le plancher dur, d'arrêts volontaires de la respiration, d'asphyxies à l'aide d'oreillers ou en s'enfonçant le plus loin possible dans la gorge une main ou un pied, de pneumonies que des enfants sollicitaient en se déshabillant en hiver lorsque les chambres sont cruellement froides, de déshydratation et de famine par refus de s'alimenter, de maladies diverses jusqu'ici inconnues, de ruptures d'anévrismes en laissant pendre la tête entre les barreaux de sorte qu'elle s'emplisse de sang et que des vaisseaux se rompent à l'intérieur sous la pression, de fractures du crâne provoquées par le heurt de la porte de chambre sur la tête, heurt lui-même rendu possible grâce à la participation involontaire des parents que l'enfant sollicite en les appelant à son aide, l'enfant ayant pris soin d'attendre la venue de ses géniteurs en plaçant sa tête tout près du coin de cette malheureuse porte, de bris de colonnes vertébrales en brassant violemment la cage du lit jusqu'à ce qu'elle se renverse sur sa victime assassine, de pendaison au moyen de la couverture fétiche passée autour du cou et attachée rudimentairement à la barre horizontale de la barrière du berceau, enfin d'autres formes de mutilations toutes aussi mortelles les unes que les autres et dont je n'avais pas exactement compris le mode d'emploi. On relatait même le cas de jumeaux qui semblaient s'être mis d'accord pour s'étrangler mutuellement, au même moment.

— Ho ! Arrête, Panoume ! Des frissons fort désagréables se fraient un chemin très large sous la peau de mon dos, partis du bas pour remonter en direction de la nuque, et c'est comme si mille frelons dardaient de leur pointe acérée et empoisonnée les pores tendres de mon corps qui menace de défaillir devant autant d'horreur ici provoquée par la lecture de cet articulet insensé sur le sens de la vie. Ho ! Cesse, Panoume chéri ! avait supplié ma mère pour que mon père se taise. Elle prenait souvent ce ton théâtral pour exprimer son désarroi quand l'horreur ou la trop grande beauté la terrorisait de leurs images.

— Manoume ! Douce Manoume ! Vraie Manoume ! Manoume réelle ! Ma manoume à moi que je peux toucher ! Que je peux voir et aimer inconsidérément ! Je n'aurai de cesse de cesser avant d'avoir confirmé à mon cerveau, qui se charge de mémoriser, l'exactitude et la signification certaine de la réalité dévoilée dans cet articulet qui me montre les enfants sous un jour cruel que j'ignorais comme un ignorant que je ne suis peut-être pas puisque la preuve demande encore à être établie et que je n'aurai de cesse de cesser jusqu'à ce que je sois assuré de la vérité au risque de savoir que j'aurai été un jour un ignorant qui s'ignorait ! avait répliqué mon père qui utilisait le même ton que celui de ma mère dans ces occasions de profonde communion dans l'angoisse.

Panoume et Manoume s'envolaient parfois sur des mots et des phrases. C'était un signe qu'ils s'aimaient tendrement dans ces moments. Après avoir fait un tour rapide de la pièce où ils se trouvaient, s'agitant la bouche ouverte pour entretenir l'opéra de leurs paroles civilisées, ils redescendaient de ces hauteurs inaccessibles et continuaient à vivre d'ordinaire façon.

— Ça donne des frissons dans le dos d'entendre ça ! Sais-tu quoi, Panoume ?

— Non, j'sais pas quoi ! Quoi ?

— On jurerait que Bim écoute ce qu'on dit. Regarde-le ! Il a les yeux grand ouverts et la bouche bée comme s'il buvait nos paroles.

— Manoume ! C'est certain qu'il écoute, autrement il faudrait qu'il se bouche les oreilles pour ne pas écouter. Mais il ne comprend pas !

Je me détournai en faisant la moue et roulai sur moi-même d'un demi-tour pour leur tourner le dos. Après avoir prêté oreille à cette énumération que fit Panoume à Manoume, je me surpris à songer qu'âgé d'un an, on l'est peut-être assez pour posséder suffisamment de souvenirs. « Valait-il la peine d'en accumuler plus ? » pensai-je. C'est ainsi que je ruminai la question du passé pendant une huitaine de minutes, temps nettement excessif consacré à un seul thème pour un enfant de mon âge qui venait à peine de découvrir l'existence de la mémoire. Je ne conserve pas un bon souvenir de cette révélation : j'avais l'impression que quelqu'un de familier venait d'entrer dans ma vie et que cette présence s'y était installée à demeure. Je me sentais vaguement observé. La mémoire possédait un miroir. Ce que je détestais le plus de cette nouvelle intruse, c'était sa façon de s'imposer en me rendant absent à moi-même pour me rendre présent à elle-même. Je disparaissais fréquemment dans les nuages de mon ciel intérieur, entraîné par cette autre qui m'envoyait son cinéma en pleine figure sans prévenir et quand je m'y attendais le moins. Je devenais hypnotisé par l'envers de mon être. Je suivais les ordres de l'intérieur plutôt que de répondre à ceux de l'extérieur. Parfois, je n'étais là pour personne et cela durait de longs moments. Je me perdais dans le passé et je n'avais qu'un an. Cela m'inquiéta pendant quelques semaines. De fait, je m'en inquiétai pour m'en souvenir. Je fabriquais de l'inquiétude pour me faire une mémoire, et l'un alimentait constamment l'autre.

C'est ainsi que semblait devoir se terminer ma première année d'existence. Zop vieillissait mais ne mourait pas. Il gardait la forme en marchant autour de la maison, sur le vieux trottoir qu'il avait lui-même moulé à même du ciment de piètre qualité aux dires de Panoume. Probablement que Zop attendait l'affaissement du trottoir pour se convaincre que leur heure, au trottoir et à lui, était arrivée. Il regardait les lézardes qui traversaient la chaussée blanche et il continuait de fumer sa pipe, tentant d'évaluer à quel rythme sa propre vieillesse s'adaptait à celle du décor environnant. Quant à Zin, elle s'accrochait à quelque chose d'obscur qui la gardait en vie. Personne ne savait exactement de quoi il s'agissait : elle parlait sans cesse et surtout elle paraissait toujours étonnée de ce qu'elle apprenait, comme si c'était toujours nouveau et intéressant. Tante Lanoline, elle, s'énervait encore pour un rien. Elle rôdait souvent autour de moi en articulant entre ses lèvres rouges des « gui li gui li, gueu gueu et gua gua » qui me donnaient des envies de vieillir. Si j'avais pu, j'aurais pris ces sons dans mes mains et j'aurais joué avec eux, les faisant rouler sur ma poitrine pour les entendre résonner à l'intérieur de mon corps. Ces sons étaient tellement plus doux que le bruit des moteurs des avions, et celui des camions qui passaient de plus en plus souvent près de la maison. L'année 0055 se termina ainsi sur ces notes contraires.

Jour 3

Une année s'était ajoutée à mon corps qui grandissait peu mais changeait de formes considérablement. J'avais allongé de la terre vers le ciel, puisque maintenant je marchais. J'explorais la grande maison dans laquelle nous vivions. Je marchais dans un décor de cinéma, comme le disaient mes parents. Je n'en ai jamais vu, mais cela semblait magnifique. Je trouvais notre maison merveilleuse. Après le petit déjeuner, je partais à la conquête des falaises qui menaient à l'étage au-dessus. Je franchissais de grandes distances où je découvrais toujours de nouvelles réalités : une fourmi perdue, une mouche peureuse, des couleurs et des formes sur les tapis du désert, des buttes de velours, des arbres d'argent, des fruits de verre, des animaux figés dans leur porcelaine, des forêts de vêtements. Je passais à proximité de grottes obscures où je ne pouvais pas toujours m'aventurer, à cause des portes que Zop ou Zin ne toléraient pas autrement que fermées. Eux aussi faisaient la ronde de notre domaine. Ils s'y perdaient fréquemment, chacun de leur côté. Et ils repéraient systématiquement toute porte ouverte pour la refermer aussitôt en maugréant sur le désordre qui régnait aujourd'hui dans le monde. À plusieurs reprises, ils m'enfermèrent ainsi, sans le savoir. Les premières fois, je pleurais. Ensuite, j'ai cessé de pratiquer cet art de la signalisation enfantine puisque mes grands-parents étaient sourds à temps plein. J'attendais que Panoume ou

Manoume s'inquiètent de mon absence et partent à ma recherche pour me libérer des entrailles secrètes de notre maison.

Je ne pouvais pas encore me passer de porter des couches, mais c'était principalement à cause des envies qui continuaient à se manifester. Ce n'était pas de ma faute. Je me demandais bien comment on pouvait parvenir à ne plus avoir ces envies de faire pipi et caca. Le jour où je ne sentirais plus rien, j'enlèverais ma couche. Mon incontinence comportait cependant certains avantages. Voilà pourquoi j'aimais tout de même porter des couches. Ainsi j'avais moins mal au derrière lorsque je tombais. Le coussin de coton me protégeait des pires coups. Il amortissait aussi les claques que Panoume ou Manoume me donnaient à l'occasion. Cela arrivait la plupart du temps lorsque les deux se querellaient. Et alors c'était à l'un, puis à l'autre, puis à l'un, puis à l'autre de me claquer une fesse, puis l'autre, puis retour à la première, puis à la deuxième, et puis la même, et ainsi de suite... parce que quand les grands se querellent, c'est toujours préférable de faire passer un peu d'agressivité sur le petit, parce que ça protège les grands des gros coups qu'ils se donneraient, et parce qu'après ils regrettent plus ce qu'ils ont fait et qu'ils peuvent encore s'aimer. Les enfants, ça sert à réconcilier en étant une zone tampon. C'est donc pour cela que je préférais demeurer incontinent en attendant que ça passe. Mais tante Lanoline ne tardait jamais beaucoup à se porter à mon secours et elle m'enlevait à mes parents pour me séquestrer dans sa chambre pendant que les orages grondaient à la cuisine. Si tante Lanoline était absente, c'était Zop qui accourait du mieux qu'il le pouvait parce qu'il était vieux. Il menaçait alors mon père de sa main. Comme Zop était le beau-père de mon père, ce dernier lui obéissait. C'était une sorte de tradition que cette obéissance.

— Tu veux la mienne de main, gendre ? Ou alors le mien de pied peut-être ? criait Zop, l'air menaçant malgré sa petite taille.

— Mais non le grand-père ! J'lui ai caressé la fesse et il pleure tout de suite ! Vous voyez bien qu'il le fait exprès ! lui répondait mon père honteux de se faire disputer à son âge.

Et c'était vrai que je ne pleurais pas pour la claque, parce qu'elle n'était jamais appliquée très rudement. Je pleurais plutôt de voir mes parents se chicaner pour des raisons que je ne comprenais pas. Et je me disais qu'elles n'en valaient pas la peine ces raisons. Mais j'étais placé devant l'évidence : ces deux êtres se détestaient parfois très fort. Je ne pouvais supporter le sentiment de désarroi que cela provoquait en moi. J'aurais voulu abolir tout ce qui existait sur terre à ce moment-là et ne leur laisser ainsi aucune raison de se haïr. Auraient-ils eu pour autant une raison de s'aimer ? Cela était aussi une question d'adulte à laquelle j'étais incapable de répondre. Et puis ça n'avait pas d'importance de répondre à des questions du genre de celles qu'on comprend à peine. S'il n'existait rien entre mes parents, que restait-il à faire sinon que de s'aimer. Je me disais que s'il n'y avait plus eu de grottes, plus d'animaux de porcelaine, plus d'araignées, plus de maison même, il aurait bien fallu malgré tout qu'on s'aime pour vivre. Je ne comprenais pas de toute façon pourquoi ce qui existait pouvait les déranger au point qu'ils s'engueulaient. Sinon. Sinon. Sinon. Et là je courais me cogner la tête sur un mur pour qu'ils arrêtent. S'ils ne cessaient pas pour moi, c'est qu'ils se détestaient vraiment et me détestaient aussi. C'est la seconde tactique, celle du taureau vaincu qui fonce sur les obstacles tête première pour en finir, que j'ai utilisée à quelques reprises, après celle des pleurs. Pour me protéger, il aurait fallu que je porte ma couche sur la tête et elle n'était pas toujours propre au moment de l'altercation. Je cessai cependant de pratiquer cette technique kamikaze parce qu'on s'habitue à tout, même aux parents. Au bout d'un certain temps, lorsque l'atmosphère se réchauffait trop, je quittais la cuisine en me balançant le derrière, résigné, et j'allais m'asseoir par terre dans la chambre de tante Lanoline. Je parlais aux yeux tristes de l'ours en peluche qu'elle avait toujours possédé depuis son enfance et qu'elle gardait malgré sa trentaine au milieu.

Il arrivait parfois que je voie passer un avion dans le ciel. Ça durait l'espace d'une seconde ou deux parce qu'ils volaient à une vitesse effarante. Les secondes, c'est pareil aux avions, parce que ça passe très vite. Les avions étaient tous semblables : gris, les ailes en v et des tubes dessous. Souvent aussi, sans les voir, je savais qu'il en passait à cause du bruit produit par leurs moteurs. Cela coupait le souffle. Et d'autres fois, je devinais qu'il en était passé qui ne m'avaient pas réveillé tout de suite pendant mon sommeil : je ne sursautais qu'après leur passage à cause des bruits que la terre faisait rouler en elle. Dans ces occasions, Panoume et Manoume me prenaient brusquement dans leurs bras et me descendaient dans la grotte dessous la maison. La terre y bougeait quand même, mais le bruit y était moins intense. Mon père remontait pour aider Zop et Zin, qui gueulaient qu'ils n'avaient rien à voir avec ce qui se passait, que ce n'était pas leur faute et qu'on leur foute la paix. Zop attendait depuis toujours son heure, celle du départ définitif, aussi disait-il qu'il l'attendrait là-haut, à l'étage de la maison, plus près du ciel que de l'enfer. Tante Lanoline se chargeait de faire descendre Zin qui avait vite oublié qu'elle désirait qu'on lui foute la paix. Elle s'amusait à chaque fois comme une folle. Elle affirmait que nous avions des idées bizarres et qu'elle avait mis au monde de bien drôles d'enfants. Dans la cave, je me rendormais dans les bras chauds de Manoume ou dans ceux de Lanoline qui me pressait contre sa poitrine après avoir rabattu une couverture sur ma tête pour éviter qu'il ne tombe trop de poussières dessus. Personne ne parlait, sauf Zin qui causait tout le temps et s'étonnait de ses propres pensées comme si elles avaient appartenu à quelqu'un d'autre. Au bout d'un moment, lorsque les grondements cessaient, nous remontions et Lanoline me prenait souvent à coucher avec elle au cas où ça recommencerait.

Entre cette première année de ma vie et l'accomplissement de ma deuxième, en plus des souvenirs produits par mon inquiétude, ma mémoire s'en était fabriqué quelques-uns qui étaient heureux, histoire de ne pas tout voir en noir ou en gris.

Ma tante m'aimait beaucoup. Elle n'avait pas d'enfants. Je suppléais à ce manque. J'aimais bien ce rôle. Ma tante Lanoline était toujours proprement vêtue et coquette, mais elle affichait un air prude. Zop et Zin étant constamment occupés à faire une tournée de leur planète domestique, c'est tante Lanoline qui prenait soin de moi lorsque Manoume et Panoume s'absentaient de la maison. Un de ses plaisirs, par ailleurs rares et discrets, consistait à ne pas porter de soutien-gorge cette journée-là. Quand elle me prenait dans ses bras, elle me serrait contre elle et sa bouche rouge me balbutiait des gui li gui li, guou lou guou lou, et ainsi de suite. Comme j'avais enfin appris à garder ma tête droite, assis sur ses genoux, je cherchais avec mes petits doigts à toucher les sons de ses lèvres que j'entrouvrais pour mieux voir dans sa bouche. Puis je touchais son nez fin et ses joues rosées, mais je ne réussissais jamais à palper les beaux mots que sa bouche me disait. D'autres fois, je cherchais à saisir tout ce que je voyais. Couché sur le côté à la hauteur de son ventre, je m'agrippais à son linge et je cherchais à escalader Lanoline pour atteindre son visage. J'avais les deux mains gauches, ce qui changea par la suite puisque je n'en conservai qu'une seule de cette tendance. Je m'appuyais donc ici et là, sur le ventre ou un sein, et je serrais pour maintenir ma prise jusqu'à l'échelon suivant. Pour faire durer le jeu, tante Lanoline me faisait redescendre sur ses genoux et je recommençais mon ascension, lui prodiguant alors les mêmes attouchements involontaires. Je m'agrippais au col ouvert de sa robe et ma main effleurait parfois un sein chaud tandis que les doigts de mon autre main frôlaient maladroitement le bout du sein. Je quêtais toujours cette bouche d'où sortaient dans un murmure liquide les sons qui me fascinaient. Au bout de quelques minutes, tante Lanoline, qui se trémoussait sérieusement sur sa chaise, me déposait par terre. Elle allait se passer de l'eau sur les joues puis me donnait quelques jouets pour m'occuper. Elle se rassoyait ensuite et regardait par la fenêtre pendant un long moment. Je ne comprenais pas qu'elle ait l'air aussi triste après avoir joué avec moi. Elle fredonnait doucement une chanson qui parlait des avions.

La terre s'allume et gronde
Quand passent les avions
Avec le bruit de leurs frondes.

Il y a bien long de temps
Dans les trous qu'ils font
Qu'ici je t'attends.

Dans la vie des amants
Rien ne tourne rond
Quand font les avions ce vent.

Quand tante Lanoline chantonnait cet air triste, j'avais le sentiment qu'elle aurait peut-être aimé être maman.

Jour 4

Cette année-là, il n'y eut que l'automne qui dura cent ans sur la ville. J'avais souvent une histoire de tristesse à raconter. À n'importe qui : Panoume, Manoume, tante Lanoline, Zop, Zin, mais tous semblaient constamment occupés ou partis ailleurs pour de vrai ou pas. Par exemple, Zop ne quittait jamais la maison ou les alentours immédiats, mais il s'absentait de plus en plus. Souvent, sans fournir aucun effort, il avait mon âge. Malgré ce fait, on ne jouait pas longtemps ensemble, parce qu'à trois ans les enfants ne sont pas socialisés et ils ne prêtent pas leurs jouets. Zop se querellait avec moi ou jouait seul dans son coin, puis il vieillissait d'un seul coup et repartait, cette fois avec beaucoup d'efforts, faire sa tournée de la maison pour fermer les portes. En un instant, sans aucune raison, il était redevenu un adulte vieux. Moi, j'étais trop jeune pour m'occuper d'un adulte. Alors je le laissais aller à ses jeux. Je l'aimais beaucoup, Zop.

Zin, elle, ne jouait pas. Ses os étaient fragiles et elle ne se penchait plus beaucoup. On ne peut pas jouer au camion de pompiers qui arrose un trou d'avion là où il y avait une maison auparavant, si on ne prend pas la peine de s'accroupir pour bien comprendre le sens du jeu et le mettre en pratique. Zin me regardait jouer et elle m'aimait beaucoup parce qu'elle souriait pour me faire savoir que ça lui faisait plaisir que j'éteigne des feux. À la différence de Zop, Zin n'était pas constamment ailleurs.

Elle était présente à sa manière, avec ses yeux, avec son cœur et avec sa façon de se tenir debout pour me regarder attentivement en répétant les mêmes mots doux.

J'avais souvent des histoires de tristesse à raconter donc. C'étaient des camions de pompiers remplis à ras bords d'histoires tristes à faire déborder d'eau n'importe quel feu. Il faut dire qu'avec le nombre sans cesse croissant de trous à éteindre dans la ville, je devenais de plus en plus inquiet pour Panoume qui travaillait à l'usine. Il y avait un bon bout de chemin entre la maison et cette énorme bâtisse où les hommes s'engouffraient tôt le matin pour n'en ressortir qu'à l'heure du souper. Je m'inquiétais des trous qui reposaient comme des montagnes à l'envers à cause du vide qu'ils offrent sous les pieds. Panoume risquait de tomber dedans à chaque fois qu'il se rendait au travail. Je craignais pour lui. Je me faisais des souvenirs d'inquiétude. Je me disais que s'il arrivait quelque chose à mon père, ma mère serait seule et moi aussi ; et elle pleurerait et moi aussi ; et devant ce spectacle, Zop pleurerait et Zin aussi. Mais quand je racontais cette histoire de tristesse à Manoume et à Panoume au moment où ce dernier enfilait son manteau usé de travailleur, ils ne me prenaient pas au sérieux.

— Pamoume ! Pamoume ! Reste ici ! Je t'aime comme un gros camion de pompiers ! Dehors, c'est plein de trous ! Tu peux tomber dedans, Pamoume ! lui disais-je, le cou tendu et la langue enroulée comme c'est pas possible. À chaque syllabe, l'effort me faisait cligner des paupières et ma salive formait un mur d'écume qui noyait le sens de mes paroles.

— Bonne journée, p'tite famille ! Une de plus, c'est une de moins, mais c'est comme ça et faut la vivre avec entrain ! lançait invariablement mon père en sortant.

Je l'imaginais, je le voyais se rendre à l'usine, contournant les vides fumants que la nuit avait creusés dans le sol à travers le pavage des rues. Il devait chanter sa rengaine du matin :

Bonjour ! Une de plus, c'est une de moins
C'est comme ça, faut vivre avec entrain.
Une de gagnée, c'est une de perdue

Mais une de perdue, faut la regagner
Bonjour ! il faut retourner travailler.

Et je restais seul avec mon histoire de tristesse. Je ne pouvais pas protéger Panoume contre ces réalités que je ne connaissais pas, dont mes parents discutaient à l'occasion entre eux. « Est-ce que ça va durer encore longtemps ? » avait dit une fois ma mère alors qu'ils parlaient des trous dans la ville. Hélas ! Le reste m'avait échappé. J'avais aussi une autre histoire de tristesse, celle-là à propos de tante Lanoline. Elle aussi travaillait tous les matins dans une fabrique. Une fabrique de quelque chose, je suppose. Elle quittait la maison beaucoup plus tôt que mon père ne le faisait. Ainsi je n'avais jamais pu la mettre en garde contre le danger de ne pas rentrer à la maison un de ces soirs. Finalement, à chaque fois, j'oubliais pendant la journée qui passait les mises en garde que je devais faire à tante Lanoline à son retour, le soir venu.

Il faut dire que j'avais beaucoup d'autres histoires de tristesse pour m'occuper. Mais celles-ci, contrairement aux autres histoires que je connaissais mieux, celles des trous par exemple, celles-ci m'étaient encore inconnues. Je sentais ces histoires de tristesse m'envahir, mais il ne s'était rien passé pour qu'elles surgissent : pas de trous, pas de camions de pompiers, pas de feux, pas de bruits, pas de réveils en pleine nuit, rien. Je n'avais aucune raison d'avoir des histoires de tristesse qui n'étaient pas des histoires venues de l'extérieur. Ça me prenait à propos de n'importe quoi et surtout à propos de rien. Parfois, avant d'aller me coucher, au crépuscule, je voyais un oiseau noir voler dans le fracas des ciels qui se rencontrent comme les armées du jour et de la nuit pour qu'en sorte un vainqueur, noirceur ou clarté, et l'oiseau se perdait toujours au bout de la terre dans le sombre de mon regard. Et alors j'avais mal en moi, dans ma cage thoracique, et dans ma gorge, et dans mes bras et mes jambes. Mais pour rien. Je sentais que c'est quand on a mal apparemment sans raison qu'on souffre probablement le plus. Que c'est quand les histoires de tristesse remontent de l'intérieur qu'elles sont les pires.

Absorbé que j'étais à regarder mes histoires tristes dans mes yeux, Manoume me surprenait souvent ainsi, juste avant de me mettre au lit, le regard absent devant la fenêtre de la cuisine. Elle m'embrassait doucement et me montait à l'étage dans ses bras. Elle me bordait puis me souhaitait de faire de beaux rêves. Lorsqu'elle avait refermé la porte de ma chambre, je fixais le plafond en imaginant dessus la ville que je n'avais pas beaucoup visitée, à cause des temps qui courent, et sur le plafond se creusaient des trous immenses dans lesquels je voyais tomber Panoume et Manoume. Puis suivaient des coups de tonnerre et d'autres trous se creusaient pour y engouffrer tante Lanoline. Et encore la foudre, et encore des trous, et Zop et Zin dedans. Le lit bougeait dangeureusement, les murs s'écaillaient, la poussière de plâtre tombait et un bras passait sous mon cou tandis qu'un autre relevait mes jambes. J'ouvrais les yeux et j'apercevais tante Lanoline qui me prenait et me serrait contre elle. Elle courait aussitôt avec moi vers l'escalier et je voyais nos ombres danser sur les murs sous l'effet des reflets aveuglants provenant de l'extérieur. À chaque bruit dans la rue, la lumière éclatait jusque dans la maison. Nous parvenions à la cave et tante Lanoline me couchait avec elle sur un matelas en prenant soin de nous couvrir d'un autre matelas. Cette nuit-là comme pour beaucoup d'autres à venir, j'avais rêvé que je ne rêvais pas. Cette nuit-là avait creusé autant de trous qu'il y avait de terre autour de la maison. Je n'avais pas eu le temps de me faire une histoire de tristesse. J'avais eu trop peur. Même Zop et Zin n'avaient pas gueulé. Ils avaient couru à la cave et ils étaient aussi jeunes que moi, parce qu'ils étaient terrifiés. Manoume pleurait dans les bras de Panoume. Tante Lanoline tremblait. Zop, le cul à l'air, avait enfoui sa tête sous la robe de nuit de Zin qui riait jaune. Le ciel était bas et l'automne durait comme une saison de trop dans la vie.

Jour 5

En l'an 0058 courut dans la maison le bruit que j'avais quatre ans. Je n'ai jamais aimé être fêté. Personnellement, je ne voyais pas ce que ça changeait d'être fêté et d'avoir quatre ans. Mais Manoume et Panoume, eux, ils désiraient que ça change. Pas pour les trous, ni pour les pompiers, ni pour les nuits passées dans l'obscurité humide de la cave pendant que là-haut ça pilotait à qui mieux mieux dans le grand cirque aérien du feu et du bruit. Non. À ces choses ils étaient habitués dans la mesure où c'est possible de s'habituer à jouer toujours au même jeu. Ils voulaient que ça change. Et le «ça», c'était moi. Ainsi, par un beau matin plein de trous dans la ville, alors que le soleil se levait et orangeait les immeubles démolis en se frottant un œil à cause des fumées persistantes laissées là pendant la nuit par les pompiers, mes parents vinrent m'embrasser dans mon lit et me dire qu'il était l'heure de déjeuner. Comme à l'habitude selon le rite établi, avant de mettre les pieds par terre, j'attendis que Manoume me retire ma couche et qu'elle m'embrasse sur le cou. Elle respecta le rituel pour la couche, mais pas pour le cou. Panoume et Manoume restaient sans bouger à côté du lit et ils se regardaient d'un air entendu.

— Bim, ce matin, c'est un grand jour ! commença mon père. Puis, ce fut au tour de ma mère.

— Bim, ce matin, tu vas vieillir et devenir un grand garçon ! renchérit-elle. Je la regardais fixement et j'étais on ne peut plus réveillé. Qu'allaient-ils m'annoncer qui me ferait vieillir encore un peu plus ? Parce que jusqu'ici, pour prendre de l'âge rapidement, il n'y avait rien de tel que les fréquentes descentes à la cave en pleine nuit, parmi les grondements et les éclats de lumières. Ce qui m'arrivait assez souvent par les temps qui couraient. Si j'avais à vieillir jusqu'à présent, c'était bien malgré moi. Que me ferait-on subir à nouveau qui me ferait vieillir et contre lequel je ne pourrais rien faire ?

— Bim, mon garçon, tu pues ! me dit solennellement Panoume, fier et orgueilleux comme il pouvait parfois lui arriver de l'être.

— C'est comme ton père dit ! rajouta Manoume au moment où je tentai de me rassurer en détournant mon regard interrogateur vers elle. Vraiment, je ne comprenais rien à leurs propos. Ils avaient dû décider qu'ils ne m'aimaient plus. Ou qu'ils se rendaient à mes raisons de ne pas vouloir être fêté et qu'ils agissaient conséquemment comme si ce jour était ordinaire, semblable, quotidien, presque déjà terminé lorsque commencé, un peu gris, rempli du lot de tous les jours et ainsi de suite.

— Tu pues magistralement, mon fils, et même si ta mère et moi avons déjà dégagé d'âcres odeurs, cela n'a duré tout au plus que pendant deux années de notre vie ! me dit Panoume qui avait emprunté à je ne sais trop quel inconnu de passage son ton emphatique et dérisoire.

— Écoute, Bim, ce que Panoume veut dire, c'est que tu as quatre ans et que...

— ...Et qu'il faut que tu arrêtes de te pisser dessus. Révolue l'époque des couches, terminé le jeu de la saucette, défoncés les budgets pour l'achat des doux tissus, finies les nuits à mariner pour toi-même ce que tu peux rejeter dans les effluves collectives, dépassé l'âge... euh ! Bwark ! Euh ! Euh ! ...certaines pénuries... Euh ! Bwark ! gueulait Panoume au moment où il s'était étouffé, peut-être à cause de ces mots et de ce ton qui n'étaient pas de lui et qu'il connaissait mal.

— ...Bon, ça va ! Écoute, Bim, tu vas devoir faire un petit effort pour être propre ! conclut Manoume pour en finir avec cet exercice de style auquel mon père se prêtait maintenant.

C'était bien ma chance ! Ce matin-là, j'avais réussi à dormir normalement. Je me sentais bien et ils venaient de tout gâcher en exigeant de moi ce qui ne pressait pas. Mais puisqu'il le fallait, je décidai que je fournirais un effort et que j'essaierais. Si j'étais capable de supporter en dedans la vie qu'on me faisait du dehors, je devais bien pouvoir me retenir de pisser la nuit. Cependant, pour sauver la face, je me mis en rogne et j'attaquai violemment la tête de mon lit avec ma propre tête. Je leur faisais le coup du bélier. Le tête-à-tête de la chambre à coucher ! Hélas ! Cet argument ne suffit pas à les convaincre d'abandonner leurs revendications. Quand j'eus suffisamment mal, j'arrêtai mon manège et leur demandai candidement :

— Et Zop, il pue lui ? Il en porte une couche, Zop ! Lui, il peut, mais pas moi ! C'est l'injustice dans la maison, la discrimination pour enfants, l'autoritarisme par frustration, la gadoue de la dernière pensée parentale profonde et je vous épargne le reste parce que...

Là, je reçus une foutue claque sur l'arrière-train puant. Je les avais eus. Ils avaient perdu contenance dans l'éducation. Mais à ce moment, j'ai aussi senti la douleur de ne plus porter de couches. Il s'avérerait nécessaire que j'use de prudence dans mes discours. Je tenais cette manie de mon père : en colère, je pouvais dire n'importe quoi de sensé, et souvent de la plus belle manière. Mais il ne le supportait pas.

Les semaines qui suivirent furent douloureuses. Mes fesses rougirent à la fréquence du jaunissement des planchers. Mais comme tout s'apprend, c'est à cet âge, quatre ans, que je cessai de n'être pas préoccupé et que je commençai à l'être. Ainsi mes histoires de tristesse inconnues, celles que je sentais monter en moi jusqu'à ma gorge, ces histoires se précisèrent un peu plus. Elles me proposaient des visages, des décors, des situations. Je devins plus inquiet, mais j'appris à réagir quand je le pouvais. Parfois, il m'arrivait de voir Zop perdre du liquide par sa couche trop imbibée. Je le suivais alors et je lui foutais une claque sur une fesse. Quand Zin me surprenait, elle montrait comme toujours de l'étonnement et elle se mettait à rire. Zop, lui, grommelait et me demandait qui j'étais. Je continuais mon chemin pour me rendre à mes jeux et j'avais hâte d'avoir l'âge de mon grand-père pour qu'il me soit permis de porter des couches à nouveau.

L'année se termina quelque part au printemps. Les avions faisaient moins de trous la nuit. Les pompiers dormaient un peu plus. Mon père et tante Lanoline travaillaient toujours autant. À l'occasion, l'eau ne coulait plus du robinet. Quand cela arrivait, Manoume me laissait seul avec Zop et Zin. Elle se rendait à pied à deux ou trois rues de la maison pour quérir de l'eau à même un camion de pompiers qu'on installait là pour les besoins de la population. Je ne jouais pas souvent dehors parce que les feuilles des arbres étaient recouvertes de couches de poussières qu'on disait dangereuses. Et on répétait la même chose pour les rayons du soleil : que mieux valait les éviter. De toute façon, ils faiblissaient à vue d'œil depuis un certain temps. Je regardais les avions passer dans le ciel. Ils ne creusaient plus de trous dans la ville. Panoume disait qu'ils allaient en faire pousser ailleurs et que c'était aussi bien comme ça. Panoume me rapportait de l'usine des pièces en acier que j'utilisais pour construire des maisons miniatures. D'ailleurs, autour de notre demeure, des gens s'agitaient toute la journée afin de remettre en état celles des habitations sur lesquelles était tombé un avion, ou un trou, ou un feu, ou un bruit. Il y avait du printemps dans l'air et comme je ne faisais plus pipi dans mes culottes, ça sentait bon comme de l'espoir répandu un peu partout et j'avais moins d'histoires de tristesse à raconter. Surtout le matin lorsque Panoume nous quittait pour l'usine. Et la nuit aussi, puisque nous pouvions dormir sans être éveillés par les bruits de trous. Quant au reste de la journée, il va sans dire qu'il m'inquiétait tout de même. Peut-être à cause de l'eau qui ne venait plus toujours au rendez-vous du robinet. Ou à cause des feuilles des arbres qui respiraient mal. Mais c'était le printemps et ça valait la peine, parce que tout le monde le disait. Alors ça m'inquiétait aussi.

Jour 6

Elle se nommait Ninine. C'était l'an 0059. Ses cheveux blancs se confondaient avec la couleur du ciel pâli par le soleil blafard qui ne parvenait plus à percer la lourde couche de poussière en suspension dans l'atmosphère. Peut-être était-ce cette poussière nous tombant dessus dès que nous mettions les pieds dehors qui avait blanchi les cheveux de Ninine. Car elle m'avait expliqué que ses cheveux avaient changé de couleur depuis peu. Avant, Ninine était blonde. Faut dire que du blond au blanc, la différence est faible. Surtout si elle avait été blonde pâle. Oui ! Elle devait avoir été blonde pâle. De toute façon, ça ne me dérangeait pas. Je ne l'avais pas connue blonde, mais blanche. Je trouvais que Ninine dégageait beaucoup de charme. Et c'était ma meilleure amie. Ç'aurait pu être ma pire ennemie. Mais non ! Faut dire que je n'avais pas vraiment le choix, puisqu'aucun autre enfant n'habitait le voisinage.

Comme j'avais cinq ans, Manoume m'avait donné la permission de jouer seul dehors. Auparavant, je sortais avec mes parents ou avec tante Lanoline, mais pour de trop brèves promenades. Lorsque nous avions dépassé quelques coins de rue, nous faisions demi-tour et revenions aussitôt à la maison. Manoume expliquait que l'air n'était pas sain, que nous ignorions ce qui le composait maintenant et qu'il ne fallait pas s'y exposer inutilement. Ainsi, jusqu'à cinq ans, mes occupations avaient été partagées entre mes jouets et la contemplation de la ville à travers les fenêtres de la maison. Je vivais en bulle, en cage. À heures fixes, on pouvait apercevoir le cortège des travailleurs qui se rendaient à l'usine ou ailleurs puis qui en revenaient. Entre ces deux moments, les rues demeuraient quasi désertes. Devant mes supplications, Panoume et Manoume avaient consenti à me laisser jouer dans la cour attenante à la maison, mais seulement après qu'ils l'eurent nettoyée comme faire se pouvait. Ils avaient ramassé des tonnes de débris — briques, bois, papier, carton, vitres éclatées — qui jonchaient non seulement notre terrain minuscule, mais aussi les trottoirs et les rues de toute la ville. Personne ne semblait préoccupé de ramasser ces matériaux brisés qui mettaient la cité en piteux état. Quand Panoume eut terminé de jeter les détritus de la cour sur le tas constitué sur le trottoir, il ramassa ensuite à la pelle l'épaisse couche de poussière amoncelée sur le sol, puis il enleva une petite quantité de terre de la surface de toute la cour. Enfin, il monta sur le toit de notre demeure pour s'assurer qu'il ne restait pas d'objets qui puissent me tomber sur la tête pendant que je jouerais en bas, sur le sol neuf de notre terrain. En des occasions semblables, je voyais bien que mon père m'aimait.

Depuis ce jour, lorsque la température le permettait, je sortais dans la cour, je m'inventais des villes pleines de trous, comme la nôtre, et je me portais au secours des maisons en feu. Pendant une heure ou deux, je jouais au pompier ou au sinistré, je regardais la rue en m'élevant au-dessus de la barricade de débris qui bloquait l'entrée de notre cour ou alors j'écoutais de toutes mes oreilles pour saisir le moindre bruit de vie qui se serait manifesté. La plupart du temps le ciel était gris, mais il blanchissait quand on devinait que le soleil se mettait de la partie. « Il n'y a que la nuit qui ait sa propre couleur maintenant ! », répétait Manoume chaque fois qu'elle mettait le nez dehors. « À la longue, cela devient tout à fait déprimant ! », rajoutait-elle invariablement. Elle se parlait à elle-même, tout comme je le faisais moi aussi. Je ne comprenais pas exactement à propos de quoi elle ergotait, mais je trouvais que c'était normal même si le ton qu'elle utilisait pour le dire me rendait vaguement triste, provoquant dans ma poitrine une sorte de fissure par laquelle je sentais quelque chose de moi-même qui sortait d'un loin dedans pour couler tout le long de mon tube digestif. Mais ça ne coulait pas vers le bas. Ça se répandait en un mince filet vers le haut et ça bloquait à la gorge. Je restais avec cela pendant un certain temps, puis je pensais à autre chose. À un certain moment, je m'apercevais que c'était parti. Pour où ? Ça, je ne le savais pas ! Tout ce dont j'étais certain, c'est que ça avait un rapport avec mes histoires de tristesse. Et ça se promenait comme un nœud entre mon estomac et ma gorge, à l'aise dans mes histoires de tristesse et mal à l'aise dans les petits bonheurs.

Un jour que je jouais dehors, j'entendis des bruits de vie qui me parvenaient du tas de cochonneries. Je prêtai l'oreille avant de me retourner, question de ne pas perdre mon temps pour rien. C'est pour ça qu'il faut écouter avant de regarder. Ça demande moins d'efforts, donc moins de temps. Parce que le temps, il passait vite quand je jouais dehors. Le bruit de vie devint plus vivant, ce qui me confirma dans mes soupçons. Prêtant l'oreille plus généreusement, je fus convaincu d'une présence et je jetai alors un coup d'œil sur le tas. Sous des cheveux blancs, un petit visage me faisait face maintenant. Je m'approchai de l'amoncellement à l'entrée de la cour avec le plus beau sourire que je possédais. Et puis je la vis plus distinctement.

— Salut ! me dit la jeune fille avec un air de contentement que je devais moi-même afficher.

— Bonjour ! Qui es-tu ? lui répondis-je un peu gêné.

— Moi, c'est Ninine, une fille ! me dit-elle en posant son menton sur ses mains appuyées sur un rebord du tas d'ordures.

— Moi, j'suis Bim, un garçon ! bafouillai-je, cherchant où mettre mes mains, car mon pantalon n'avait pas de poche. Je restai pantois devant cette apparition d'une jeune fille qui me semblait sereine et très jolie. Elle souriait avec les dents de l'espoir. Ça se voyait parce qu'il lui en manquait deux et qu'elle riait quand même. L'espoir lui ferait repousser des dents, sûrement.

— C'est chez toi ici ? me demanda-t-elle, toisant du regard la petite cour d'où je lui parlais.

— Oui. Mais ça fait pas longtemps que je peux jouer dehors. Avant, il y avait dans ma cour tous les débris sur lesquels tu t'appuies. Mon père a fait le ménage ! lui dis-je, pendant qu'elle se tortillait un peu de son côté de la barricade. Elle regardait la cour avec tant d'intensité que je finis par être intimidé de la voir ainsi insister.

— C'est beau le sol propre ! Est-ce que c'est dangeureux ? s'empressa-t-elle de me demander alors qu'elle s'étirait démesurément le cou pour bien regarder tous les recoins de mon terrain de jeu.

— Mon père, il a tout balayé après avoir entassé les débris. Il dit que je peux jouer au pompier si ça me plaît ! Mais pas trop longtemps. C'est à cause de la poussière dans l'air, que m'a dit ma mère.

— Ah oui ! La poussière. Y en a partout. Moi, je demeure dans une maison dans un trou ! Une nuit que je dormais, il y a eu un gros bruit dans la maison. Je me suis éveillée en sursaut. J'ai vu les planches du plafond tomber sur moi, dans ma chambre. Sur le coup, je me suis rendormie. Pendant très longtemps. Quand je me suis réveillée, nous habitions un trou. Mon oncle, il a pris des morceaux de la maison. Il a fait un toit au fond du trou. Il a reconstruit des armoires et il a disposé du bois par terre pour faire un plancher. C'est vraiment chouette, mais c'est pas très chaud ! m'expliqua-t-elle avec le même ton enjoué qu'elle avait pris depuis le début.

— C'est quoi un oncle ? lui demandai-je en me rapprochant d'elle de mon côté de la barricade.

— Ben voyons ! C'est quelqu'un qui marie une tante ! Tu savais pas ça ? rétorqua-t-elle un peu surprise de ma question.

— Moi, j'ai une tante, mais j'ai pas d'oncle.

— Moi, j'ai une tante, j'ai un oncle, j'ai un frère ! Et toi ? me lança-t-elle. Je compris que pour elle, parler c'était jouer.

— Moi, j'ai une tante, j'ai pas d'oncle, j'ai un grand-père, j'ai une grand-mère. Et j'ai un père et j'ai une mère aussi, c'est sûr ! lui répliquai-je, pour lui montrer que je savais m'amuser moi aussi. En même temps, je voulais lui montrer que je possédais plus de choses qu'elle.

— Eh bien, j'ai quelque chose que t'as pas ! Na na ! Na na na ! J'ai plus de mère et plus de père ! dit-elle en riant brièvement, avant que son regard ne s'assombrisse légèrement. Moi je venais de subir ma première défaite avec elle. J'avais perdu à son jeu !

— Qui s'occupe de toi alors ? questionnai-je, moi qui tombais des nues de ma naïveté. Je croyais à peine possible ce qu'elle me racontait.

— Ce sont mon oncle et ma tante ! Et toi, ta tante elle devrait se marier. Parce que si un trou tombe sur ta maison, t'auras plus personne d'autre qu'une tante pour t'aider ! me cria-t-elle, à bout de patience devant un si grand manque de prévoyance de ma part.

Je commençais à me sentir coincé dans ma cour, à l'étroit dans ma cage. Je jetai un coup d'œil vers la fenêtre de la cuisine pour m'assurer que ma mère ne nous voyait pas et j'invitai la fille à venir me rejoindre. Elle était là, appuyée de tout son corps contre le mur de débris, se dandinant légèrement. Moi, je voulais tout apprendre. C'était la première fois que je parlais à un enfant de mon âge et j'aimais cela. Pour rien au monde je ne voulais qu'elle parte.

— Veux-tu venir jouer avec moi ? J'ai un camion de pompiers. On pourrait éteindre les feux et reconstruire après avoir enterré les trous. Regarde ! Je peux creuser dans ma cour ! Le sol est propre ! lui dis-je, attendant impatiemment sa réponse.

— Je ne peux pas aujourd'hui ! Je suis partie sans avertir mon oncle et il faut que j'aille m'occuper de mon frère ! me répondit-elle. Je sentais un peu de regret dans le ton de ses paroles. Je crois qu'elle aurait aimé jouer avec moi.

— Tu demeures loin d'ici ? m'enquis-je aussitôt.

— Non ! C'est juste à deux coins de rue. Dans le tas de trous qu'ils ont faits l'année dernière ! me confia-t-elle, en pointant du doigt la direction à prendre pour retourner chez elle.

— Tu reviendras me voir ? lui demandai-je tout doucement.

— Si je peux amener mon frère avec moi, je pourrai peut-être revenir souvent ! Pendant que lui jouera dans la cour, on pourra bavarder. C'est intéressant ! me suggéra-t-elle.

— Alors c'est d'accord ! Je te surveillerai par la fenêtre. Quand je te verrai, je sortirai et on jouera ensemble. Il a quel âge ton frère ?

— Il a dix ans, mais tu verras, c'est comme nous. Même pas ! me répondit-elle en faisant déjà un pas en arrière pour me quitter.

— Et toi, t'as quel âge ? lui demandai-je dans le but de la retenir un peu plus longtemps

— J'ai cinq ans ! Et toi ? questionna-t-elle en se retournant pour descendre de la barricade.

— Moi aussi ! Moi aussi ! lui répondis-je par deux fois, comme pour lui donner la preuve qu'à cet égard nous étions égaux.

— Je reviendrai avec mon frère. Salut, Bim ! me lança-t-elle en sautant des derniers débris. Elle partit rapidement, ses cheveux blancs sautillant sur ses épaules. J'escaladai le tas pour la regarder courir dans l'hiver de poussière qui régnait sur la ville. « Au revoir, Ninine ! À bientôt ! », dis-je tout bas, comme si ma voix s'était étouffée dans ma gorge. J'avais bien envie de pleurer et je ne me trouvais pas ridicule.

Quelque temps plus tard, Rapou, le médecin qui m'avait mis au monde, avec l'aide de ma mère il faut bien le dire, vint à la maison rendre visite à Zop et à Zin. Quand il mit les pieds dans la cuisine, Zin s'esclaffa comme à son habitude. Elle se laissa ausculter et fut très étonnée de découvrir tout ce qu'elle possédait de corps. Elle ne ressentait jamais aucun mal. Rapou lui confirma qu'elle était en très bonne santé et qu'elle pouvait continuer à vivre sans problème. C'était mieux qu'avec. Quant à Zop, ma mère dut courir à ses trousses dans la maison pour permettre au docteur Rapou de l'examiner. Zop vociférait dans son coin, arguant qu'il refusait qu'on prolonge sa vie parce qu'il était trop vieux. C'était d'ailleurs la seule chose dont il se souvenait toujours avec clarté : qu'il désirait s'arrêter de vivre. Pour ce qui était de la vie, il en oubliait encore de grandes portions.

Le docteur examina rapidement ma mère à qui il trouva un air un peu fatigué. Il lui fit quelques recommandations à propos de la consommation d'eau et il suggéra à tous de prendre garde à la poussière blanche. Puis ce fut à mon tour. Il me tâta partout et me trouva dans une excellente forme. Pendant que je me rhabillais, il passa sa main dans mes cheveux. « Vous savez, plusieurs enfants les ont blancs maintenant et on ne sait toujours pas pourquoi ! » dit-il à ma mère à voix basse. Je songeai à Ninine à cause des cheveux. En quittant la maison, Rapou salua Zop qui courut aussitôt se réfugier à la cave, ce dernier poursuivi par Zin qui rigolait comme un enfant de voir son mari s'enfuir en marmonnant entre ses dents des insanités au sujet de la vie qui n'en finissait plus de vivre.

C'était l'hiver, je crois. Je ne sais plus. L'année achevait et nous ne l'avions pas encore vu cet hiver dans lequel nous étions. Tout était blanc de poussière, mais la neige demeurait absente. Il faisait tout de même froid. Ninine n'était pas revenue me voir. Peut-être à cause du froid ou parce que son frère la tenait très occupée. Peut-être aussi qu'ils reconstruisaient leur maison après avoir enterré leur trou. Et puis, ne plus avoir ses parents, ça devait compliquer un peu l'existence. J'ai donc terminé l'année avec une petite histoire de tristesse de plus dans la tête. J'ai patienté de longues heures à la fenêtre de la cuisine à surveiller Ninine. Plus les jours passaient, plus se formait le nœud que j'avais toujours dans la gorge. Il ne fallait pas lui donner beaucoup de prétextes pour qu'il se noue. C'était comme si le nœud de ma gorge remontait dans mon regard à cause de Ninine qui ne venait pas. La ville s'étranglait entre ses rues entortillées, en même temps que de mon côté j'étouffais parmi mes nœuds en guettant la venue de mon amie. J'avais une peine d'amitié. Ma première.

Jour 7

À six ans, j'avais atteint l'âge où on comprend tout. Même si c'est à sa façon, on saisit l'importance des propos, leur sens. Le reste, c'est de l'interprétation. J'ai compris à six ans, entre autres choses, que tout le monde interprétait les mots, que chacun possède la vérité. Alors je me suis mis en tête de connaître la vérité. Comme ça, je saurais où aller dans la vie. Je pourrais contredire Panoume, Manoume, tante Lanoline, peu importe qui, et j'aurais raison puisque je n'interpréterais pas : je saurais. Je pourrais expliquer les choses avec la vérité.

Au bout de deux jours, j'abandonnai mon projet de tout connaître. Il était impossible de discuter avec des gens qui interprètent toujours. On ne peut rien apprendre. Tout est vrai ; tout est faux. J'ai alors décidé de ne rien apprendre, mais de faire comme les autres : tout interpréter pour avoir l'air de tout savoir ou, au moins, d'en connaître plus que quiconque. Alors j'ai interprété. À ma façon. Mais on ne sait jamais si c'est la bonne. J'ai observé la manière des autres. C'était pas souvent intéressant ! Je me suis dit que si nous, les humains, avions imité les singes, le contraire n'était pas vrai. Nous avions interprété la vie à partir de la leur, mais nous y avions ajouté toutes sortes d'interprétations personnelles qui nous avaient rendus différents d'eux. La preuve : je ne sais pas si les singes existent encore aujourd'hui, à la différence des humains. Mais est-ce une preuve de quelque chose ? Je crois qu'ils n'ont pas résisté à la vie ces derniers temps. Cela aussi demeure une interprétation, une supposition, puisque Panoume n'a pu me répondre au sujet de l'existence des singes. Il ignorait s'il en restait. J'ai alors pris la ferme décision de ne pas faire comme les autres. J'en avais rien à foutre de tout connaître ou de ne rien savoir. Je passais toujours beaucoup de temps à la fenêtre de la cuisine, songeant à toutes ces idées qui me harcelaient pendant que je surveillais la cour et la rue, au cas où Ninine se serait montré le bout du nez. Je m'ennuyais. Et l'ennui aussi me donnait des idées. Quelle merde ! Personne ne venait me visiter et plus je cherchais la vérité, plus tout devenait confus dans ma tête.

« Tu vas aller à l'école bientôt ! » me disait Manoume, chaque fois qu'elle me surprenait à faire le guet à la fenêtre. Elle voyait bien que je m'ennuyais. Moi, je lui répondais que j'irais à l'école uniquement si Ninine y allait aussi, parce qu'autrement elle pourrait s'amener ici et elle croirait que je suis parti pour toujours si elle ne me voyait pas. « Ninine sera probablement là ! » ajoutait-elle alors pour faire taire mes appréhensions. Quand vint le jour de la rentrée, je dus m'exécuter. Et ceci presque au sens littéral. J'eus des étourdissements en me levant le matin. J'avais mal rêvé. Je n'avais pas faim. Des crampes au ventre me tenaillaient les tripes comme jamais ça ne m'était arrivé et mes jambes me supportaient difficilement. La recherche de la vérité me faisait paniquer, moi qui n'y croyais plus. J'essayais de me raisonner en me disant que je retrouverais peut-être Ninine sur les bancs d'école. Qu'on serait dans la même classe. Pour m'encourager, ma mère m'expliquait que je me ferais des petits amis et que j'apprendrais un tas de choses. Encore de la vérité. Ouach ! Pour ce qui était d'apprendre, mon idée était bien arrêtée : je savais tout et je ne voulais rien savoir de plus. C'était déjà trop.

Ce matin-là me montra le monde dans toute son horreur. Pour moi, la vie était terminée. Je me rendais compte qu'elle n'avait jamais vraiment commencé et qu'elle ne m'intéressait guère dans son devenir. Derrière moi, je laissais six années de vie, avec le bonheur des pompiers et la peur des trous, des bruits et des avions. L'avenir qu'on me décrivait offrait la même réalité que celle du passé avec, en plus, du savoir, des souvenirs et une tonne d'incertitudes. Pourquoi cela aurait-il intéressé quelqu'un ? Rien ne changeait donc pour le mieux. Zop appelait la mort de toutes ses forces. Faut dire qu'il n'en avait plus beaucoup de forces et que c'est probablement pour cette raison qu'il ne parvenait pas à attraper la mort, comme on attrape la grippe. Zin rigolait toujours autant à propos de tout et de rien. Tante Lanoline ne me prenait plus sur ses genoux. Elle passait ses journées entières à la fabrique, rentrait fourbue le soir et s'installait devant une fenêtre pour regarder la nuit tomber définitivement sur sa journée grise. Panoume bossait à l'usine, bossait à l'usine et bossait à l'usine. De retour à la maison, il soupait et se couchait en même temps que ma mère. Quant à Manoume, ses journées étaient toutes semblables : elle s'occupait de moi, courait les magasins de pénuries alimentaires et trouvait l'abondance du manque pour revenir les bras chargés avec moins que rien, essayait de préparer des repas, colmatait les brèches que la nuit avait ouvertes dans les encoignures, chassait les rats, nettoyait Zop, rigolait avec Zin, et quoi d'autre encore ! Non ! Vraiment l'avenir ne me disait rien !

Ce matin de rentrée, accompagné de Manoume, je réussis à me rendre à l'école malgré les tremblements de mon corps. Dans la rue, nous usions des précautions ordinaires pour ne pas soulever trop de cette poussière blanche qui tombait fréquemment du ciel moutonné. Je ne sais pas pourquoi mais ma mère, qui m'aimait comme personne, semblait jouir malgré elle de l'état d'angoisse qu'était le mien. Plus elle me prenait au sérieux, plus j'angoissais, plus elle m'aimait, et plus la vie avait de sens pour elle. Elle n'aimait pas la souffrance, mais elle l'appréciait. On aurait même dit qu'elle en vivait un peu. Quand nous fûmes tout près du trou gigantesque qui faisait office d'école, je parvins à un état second. Mes yeux étaient embués, ma gorge nouée plus qu'à l'habitude. La salive avait déserté ma bouche et le timbre de ma voix grinçait sur les gonds de mon anxiété. J'étais comme hypnotisé. Tout défilait très rapidement devant mon regard.

Je remarquai que le toit de l'école gisait au niveau du sol. Il y avait autour du toit d'autres enfants, très peu, qui se regardaient comme moi je les observais. Des enfants se voyaient après six ans passés seuls, ou presque. Je compris qu'eux aussi n'étaient jamais allés beaucoup plus loin que leur cour. Les enfants ne savaient pas ce qu'étaient des enfants. Des enfants se voyaient pour la première fois et, tous, ils demeuraient figés devant cette image d'eux-mêmes. Une sorte de peur les clouait sur place. Ils ne semblaient pas comprendre ce qu'on attendait d'eux. J'étais peut-être le seul avec Ninine à avoir déjà rencontré un enfant de mon âge. Et ça n'était arrivé qu'une seule fois. Je songeai à elle. Je passai une main devant mes yeux pour mieux y voir et chercher du regard cette amie que j'avais attendue pendant des semaines, des mois. Je compris que si elle était venue une fois jusqu'à ma maison, c'est qu'elle avait dû faire une fugue et que, depuis ce temps, ses tuteurs l'avaient empêchée de rééditer son exploit. Le ciel était gris comme du plomb. Il neigeait de gros flocons de poussière blanche. Et sous ce ciel, je crus entrevoir Ninine qui tenait par la main un grand garçon. Une cloche fêlée retentit et quelqu'un cria de nous regrouper en rangs. Les enfants furent dirigés par leurs parents vers cette dame habillée de linge rapiécé en maints endroits. Elle nous souhaita la bienvenue. Puis elle nous demanda, en observant les parents, si nous savions comment retourner seuls à la maison. Elle congédia alors nos pères et mères et nous fit entrer dans l'école. Plutôt sous l'école ! « Faites attention à vos têtes ! Il y a un peu partout des poutres qui pendent du plafond. Secouez vos bottes pour faire tomber la poussière ! Ne vous déshabillez pas, il fait trop froid ! » nous disait-elle en nous guidant vers la salle de classe.

L'intérieur offrait un aspect lugubre. Les avions avaient dû passer souvent au-dessus de ce bâtiment pour y creuser autant de trous. Nous nous assîmes dans un de ces trous au fond duquel avaient été disposées des planches. Il n'y avait aucune chaise. À une extrémité du trou de forme irrégulière, un tableau était soutenu par deux pieux qui avaient été plantés là à même le sol. Nous étions une vingtaine d'enfants assis par terre. La dame commença à parler et à expliquer qu'elle ferait tout en son pouvoir pour nous apprendre toutes sortes de choses. Elle nous dit qu'il nous faudrait travailler fort et bien, travailler souvent par nous-mêmes, parce que nous n'étions pas tous du même âge et du même niveau. J'appris aussi que nous étions les seuls enfants de toute la ville. J'écoutais attentivement les propos de la dame lorsqu'une main venue de derrière se posa sur mon épaule. Je me retournai et vis le visage serein de Ninine qui m'envoya un sourire de triomphe que je lui rendis aussitôt. Je compris qu'il signifiait la joie de nous être retrouvés. Je me détournai et, du coup, je me sentis mieux et me détendis. Le devenir de la vie offrait peut-être une suite intéressante, qui sait ? Je me retournai à nouveau et lui fit un clin d'œil qui laissa rouler une larme sur ma joue. Ninine l'essuya et je vis qu'elle s'en faisait une elle aussi. Du bout d'un doigt, j'attrapai sa larme échappée et je la posai sur mes lèvres pour l'embrasser. Il y avait de l'espoir dans le bonheur de ces pleurs.

Jour 8

En l'an 0061, Ninine se rendait à l'école toujours accompagnée de son frère, Groube. Groube, il était un peu comme Zop, avec l'excuse de l'âge en moins. Ninine m'avait raconté comment Groube avait eu le cerveau aéré. Quand leur maison avait été démolie suite au passage des avions, le toit leur était tombé dessus sans crier gare. Ninine n'avait presque pas été blessée, mise à part une commotion qui l'avait confinée au pays des rêves vides pendant plusieurs jours. Mais Groube, lui, s'était trouvé pris sous une masse de débris qui lui avaient pressé la tête si fort qu'étaient sorties de celle-ci une grande quantité d'idées perdues à tout jamais. Du moins selon le verdict qu'avait rendu Rapou, le médecin. Ninine l'amenait à l'école pour qu'il retrouve ses idées perdues. Mais ça ne fonctionnait pas très bien. Groube demeurait incapable de se concentrer, même après une année complète d'études. Il n'avait rien appris et ne songeait qu'à jouer. Devant cet état de fait, pendant les classes, la maîtresse lui faisait laver le tableau ou lui demandait de balayer la cour pour la débarrasser de sa poussière blanche. C'est d'ailleurs ce que Groube préférait le plus : arriver avec sa sœur, la laisser entrer dans la classe et, armé d'un balai rudimentaire, commencer à pousser en tas les fines particules qui tombaient fréquemment du ciel. Même si ça le faisait tousser, il se sentait mieux dehors qu'en dedans où il s'ennuyait et où on se payait sa tête qu'il ne possédait plus. À la différence de Zop, Groube n'était pas hargneux. Gentil et toujours de bonne humeur, il était prêt à rendre service à n'importe qui. Il ne gueulait jamais après les autres, mais il lui arrivait de pleurer comme s'il avait eu deux ans. Cela nous emmerdait, Ninine et moi. Parfois, des plus grands que nous l'approchaient pour lui demander son aide. Après que Groube se fut exécuté, il recevait, dans le meilleur des cas, un bon coup de pied au cul. Autrement il avait droit à une véritable râclée. Ça dépendait de l'humeur des enfants. Et invariablement, Groube nous arrivait en pleurs, gémissant, n'ayant pas encore compris qu'il devait s'éloigner des autres et ne pas les écouter. Mais Groube était de l'âge des grands qui lui administraient les volées, et il semblait être content malgré tout de pouvoir faire partie de leur bande à l'occasion. Nous, nous ne pouvions pas grand-chose pour Groube. Ninine était intelligente et débrouillarde, mais pas forte physiquement. Quant à moi, pour qui Groube était devenu un frère, je ne possédais qu'une musculature bien ordinaire et j'étais même légèrement moins grand que Ninine. Même en réunissant tout ce que nous possédions comme qualités à trois, nous ne formions qu'une paire. Notre stratégie de défense était essentiellement basée sur la fuite. Quand Groube se faisait attaquer, Ninine et moi accourions pour faire diversion en frappant ses assaillants par derrière ou en leur lançant des débris quelconques. Profitant de cette diversion, Groube se défilait en prenant ses jambes à son cou. Pour mieux disperser les troupes adverses, Ninine et moi faisions alors de même, mais chacun de notre côté. Et nous retrouvions Groube un peu plus tard qui nous accueillait avec un sourire en nous tapotant le dessus de la tête affectueusement. Nous l'engueulions pour la forme puis nous l'amenions jouer dans ma cour.

Depuis deux ou trois ans, les avions qui passaient dans le ciel ne laissaient plus tomber de trous. Les tuteurs de Ninine et de Groube avaient accepté de les laisser jouer dans ma cour. Manoume les avait rencontrés. Ils ne demeuraient pas loin de notre maison. Elle s'était présentée en bonne maman responsable. Elle leur avait expliqué qu'elle-même ne me donnait la permission de sortir de la demeure que depuis peu. Le calme du ciel semblant être revenu, elle acceptait maintenant que je joue plus souvent dehors. Elle les avait assurés qu'elle nous surveillait attentivement et qu'elle aimait bien Ninine et Groube, qu'ils ne la dérangeaient pas et que, par conséquent, ils étaient les bienvenus.

Dans la cour, Groube jouait beaucoup au pompier, mais pas avec le camion. Il tenait le rôle lui-même et faisait semblant d'arroser partout. Parfois, il déboutonnait sa braguette et pissait un bon coup sur un feu gigantesque qu'il venait d'imaginer. Pour éviter qu'il ne se fasse disputer par ma mère, Ninine et moi nous empressions de creuser autour de la petite mare pour remuer le sol afin que le liquide soit absorbé et qu'il n'y paraisse pas. Manoume aurait été dans tous ses états si elle avait vu Groube agir en pompier. Quand nous étions fatigués de jouer à éteindre des feux, Ninine et moi, pendant que Groube s'occupait par habitude à balayer la cour, nous jouions au docteur sous un coin du tas de débris qui était à l'abri des regards inquisiteurs. Nous nous sauvions mutuellement la vie en nous massant là où la douleur était la plus intense. Et la plus manifeste, dans mon cas. Je découvrais la différence entre mon corps et celui d'une fille. Je découvrais le mien et celui de l'autre. Nous apprenions à raffermir notre amitié, jusqu'à ce qu'un jour Ninine me déclare d'un ton catégorique qu'elle m'aimait. Là, je mis du temps à comprendre.

— Il faut avoir des enfants pour être en amour ! lui dis-je. Et je suis bien trop jeune !

— Mais non ! C'est pas nécessaire. Mon oncle et ma tante, ils ont pas de vrais enfants, puisqu'ils nous ont pour ainsi dire adoptés, et ils s'aiment ! me répondit-elle, décontenancée devant ma naïveté, ce qu'elle ne soupçonnait pas chez moi.

— C'est quoi la différence maintenant pour nous deux ? Qu'est-ce qui va arriver ? lui demandai-je, soudain inquiet de l'avenir à cause de l'amour.

— Ben rien ! rétorqua-t-elle avec un haussement d'épaules.

— Ah bon ! fis-je, avec l'air idiot de celui qui veut comprendre mais admet, en faisant du même coup confiance à l'autre, qu'il en est incapable.

— Tout ce que tu as à faire, c'est continuer à être comme ça ! Ordinaire ! me répondit-elle en souriant.

— Je suis ordinaire, moi ? lui dis-je, déçu et un peu vexé.

— Tu es bien ! Tu es même très bien ! Tu es le meilleur ! C'est pour cela que je t'aime. Tu es mon amoureux ! Je te promets qu'on va se marier plus tard. À deux, on s'occupera de Groube. Puis on aura peut-être des enfants, qui sait ? m'affirma-t-elle d'un ton qui laissait peu de place au doute.

— Bon ! Si c'est ainsi, je veux bien ! C'est toi qui décides !

— On va se donner un baiser, notre premier baiser d'amoureux. On s'est embrassés partout, sauf sur la bouche. Viens ! continua-t-elle en fermant les yeux et en offrant ses lèvres.

Je la regardais avec ses cheveux blancs et sa peau pâle. Elle semblait vulnérable avec tous les sentiments qui lui grugeaient le dedans. Je m'approchai doucement, peureusement pour tout dire. J'avais l'impression que j'allais poser un geste important. Mais juste au moment où j'allais coller mes lèvres sur les siennes, un avion passa dans un bruit d'enfer. Je rouvris mes yeux et regardai vers le ciel pâle. L'avion laissait échapper une dense fumée noire. Il rasa quelques toits encore existants et alla s'écraser un peu plus loin, à quelques coins de rue de notre demeure. Ninine bondit en s'écartant de moi, attrapa Groupe par une manche de son manteau défraîchi et courut vers le lieu de l'explosion survenue près de chez elle. Sortie à la hâte, Manoume eut beau lui crier de revenir, Ninine ne semblait rien entendre et courait derrière Groube qui grognait comme si le bruit de l'écrasement avait éveillé en lui des souvenirs douloureux. Au loin, le ciel blanc s'était orangé de lueurs qui ressemblaient à celles du soleil des temps anciens. L'avion s'était abîmé comme un coucher de soleil et Ninine courait s'engouffrer à la suite de Groube dans la déchirure brûlante du ciel à cet endroit.

Jour 9

Il y avait une année que l'avion était tombé dans le trou de chez Ninine, creusant un immense cratère à la place du trou. « Autrefois, c'était la vie qui sortait de la terre. Aujourd'hui, c'est la mort qui rentre dans le sol ! Mais ça demeure logique ! » avait dit ma mère en se levant ce matin-là. Elle avait la mémoire des dates et des événements. Je n'ai hérité d'elle que le second aspect de cette mémoire. Le temps peut passer sans que je m'en aperçoive. Une journée vaut une année à mes yeux et le contraire est aussi vrai. À son réveil, Manoume s'était souvenue de l'anniversaire de la disparition de l'oncle et de la tante de Ninine. Ils étaient dans leur maison sous terre quand l'avion avait piqué du nez. Du moins, tout le monde le croit, parce qu'on ne les a jamais revus après cela. Nous avions recueilli Ninine et Groube pour qu'ils passent la nuit chez nous en attendant que les pompiers trouvent leurs tuteurs dans les décombres, ce qui n'aurait pas servi à grand-chose de toute façon. Les sapeurs cherchèrent pendant une journée entière sous la maison, mais en vain. Le premier trou avait été recouvert par un second. Ils fouillaient dans le vide, pour ainsi dire. Tout s'était volatilisé en débris et il ne restait plus rien d'identifiable dans ce gouffre.

Ninine et Groube demeurèrent donc chez nous en attendant que mes parents solutionnent leur problème. « Pourquoi est-ce qu'on les garderait pas avec nous ? » avais-je soumis à mon père au bout de quelque temps. En maugréant un peu pour la forme, il m'avait répondu que j'avais là une bien drôle d'idée, mais qu'elle paraissait acceptable. Faut dire que Manoume et Panoume n'avaient guère le choix. La ville manquait de parents pour certains. Et même si on manquait aussi d'enfants en général, quelques-uns parmi ces derniers, faute de parents, avaient dû se constituer en bandes pour survivre. Mon père m'expliqua que ceux-là avaient déserté la ville et s'étaient réfugiés plus loin, on ne savait trop à quel endroit exactement. Lui-même n'était pas certain de cela. « Il y a tellement de rumeurs invérifiables ! » avait-il conclu. Et nous avions décidé d'adopter Ninine et Groube.

Le jour où je leur annonçai la décision de mes parents, Ninine se mit à pleurer. Groube évidemment l'imita. Quand quelqu'un gémissait, Groube faisait de même ; et lorsque quelqu'un riait, Groube riait. C'est pour cette raison qu'il était naïf. Quand les enfants de l'école lui bottaient le derrière, ils arboraient des sourires malicieux. Groube ne pouvait agir autrement : il leur rendait leur sourire. Il rigolait en se plaignant, les yeux remplis de larmes, le corps couvert d'ecchymoses. Donc pour consoler Ninine qui prenait conscience qu'elle changeait de famille définitivement, je la pris dans mes bras. Je passai longtemps ma main dans ses cheveux blancs pendant qu'elle mouillait de larmes mon gilet à la hauteur de l'épaule. Puis je redressai sa tête doucement. « Ne pleure plus, Ninine ! À huit ans, on est plus des enfants. Tu fais pleurer Groube qui ne saisit rien de ce qui se passe. » lui avais-je dit, avant de poser tendrement mes lèvres sur les siennes qui étaient toutes gonflées de chagrin et de sanglots intérieurs. Je reprenais notre baiser que le destin nous avait déjà volé une fois. « Je t'aime pour toujours. Et j'ai une idée ! On fait déjà une petite famille, parce qu'on va adopter Groube à nous deux pour en prendre soin et le protéger ! » avais-je ajouté en la regardant fixement du regard. Elle me crut puisqu'elle esquissa un sourire à Groube qui l'imita aussitôt et cessa de se plaindre.

Selon ma mère, une année avait passé ce matin-là. Moi, j'en doutais. « Vous avez maintenant huit ans. L'an passé, vous en aviez sept ! » me servit-elle comme preuve irréfutable apportée à ses propos. Il est vrai que Groube était maintenant âgé de treize ans, puisqu'il ne pouvait plus nous suivre à l'école. La maîtresse avait averti mes parents qu'ils devaient le garder à la maison. Il était trop vieux maintenant et il n'apprendrait jamais rien. Comme cinq années le séparaient de Ninine, et qu'elle et moi avions le même âge, j'en conclus que ma mère avait raison et que nous avions huit ans. J'avais d'ailleurs découvert par cette opération laborieuse que j'éprouvais de réelles difficultés avec les mathématiques. Elles m'apparaissaient claires si elles offraient un certain rapport avec la réalité. Autrement, elles me demeuraient obscures. Pour les mots, c'était différent. Je vivais avec eux. On s'entendait bien ensemble, eux et moi. De toute façon, à l'école, on ne nous apprenait que peu de choses. Le cœur n'y était pas. La maîtresse n'y croyait plus. Devant autant de vide autour d'elle, Palule, la maîtresse, se questionnait souvent à voix haute, demandant à quoi pourraient bien servir ces connaissances amputées largement par le manque de souvenirs, par l'absence de livres pour nous les rappeler, et par ce futur hypothétique dans lequel elles ne pourraient jamais se concrétiser.

Depuis une année, l'école fermait deux jours sur trois, à cause des avions qui avaient changé de couleur et qui arrivaient maintenant de l'autre côté du ciel. Pendant longtemps, j'avais pensé que la déchirure faite dans la peau du firmament par l'avion tombé sur le trou de chez Ninine avait ouvert un chemin aux avions de l'autre bord du monde et qu'ils s'étaient engouffrés comme des moustiques dans cette fissure du moustiquaire. Parce que depuis ce temps, cela n'avait pas arrêté. Nous passions deux nuits sur trois dans la cave. Et des couchers de soleil comme celui de la fin du monde chez Ninine, il en pleuvait tout autour de la ville, et même dedans, tout près de chez moi. À cause de cela, les pénuries étaient plus abondantes, comme les pluies de feu. Et l'abondance, on s'en serait passé, Ninine, Groube et moi.

C'est Groube qui avait toujours faim le premier. Il était devenu très habile à se procurer des rongeurs : souris, rats, mulots, taupes. Comme ces animaux vivaient sous terre, ils avaient survécu jusqu'ici. Ainsi, quand son estomac lui faisait des grimaces, Groube partait à leur recherche. Lorsqu'il découvrait un trou fraîchement creusé par les avions, il se couchait parmi les débris encore chauds et faisait le mort. Il plaçait ses deux mains l'une près de l'autre, les doigts ouverts et attendait qu'un rongeur sente la bonne chair. Groube jouait au cadavre. Quand un rongeur s'approchait du bout d'un doigt pour en faire son repas, Groube le saisissait subitement à la gorge et serrait l'animal à lui en faire sortir les tripes par le cul. Ça ne fonctionnait pas toujours son truc. Parfois il se faisait mordre au sang et la bête s'échappait. Mais quand il revenait avec un gros rat bien en chair, tous le félicitaient. « Bien travaillé, Groube ! » lui disait mon père. Et Groube s'enorgueillissait de se sentir utile à sa nouvelle famille. Il était heureux. Ça me faisait chaud au cœur de le voir ainsi et je sentais comme un poing remuer dans ma gorge. C'étaient des histoires de tristesse heureuse.

Zop et Zin ne mangeaient plus. Zop essayait de mourir de faim. Zin l'imitait parce qu'elle trouvait cela drôle. Ils mesuraient un peu moins d'un mètre cinquante et rapetissaient constamment. Il était inutile de tenter de les obliger à manger, comme à quoi que ce soit d'autre d'ailleurs, parce qu'ils n'en faisaient qu'à leur tête. Mais leurs bouilles demeuraient sympathiques et faisaient partie du portrait de famille. Tante Lanoline n'ingurgitait que de l'eau ainsi que le jus dans lequel les rongeurs étaient bouillis. Elle ne servait jamais la soupe car la vue du cadavre, même dépecé, lui faisait lever le cœur assez haut pour qu'il déborde. Nous nous rappelions tous avoir déjà mangé des choses meilleures mais, dans les circonstances, cela constituait un luxe de pouvoir avaler de la viande, peu importe sa provenance et sa qualité. Panoume disait que nous ne faisions que survivre, mais qu'il n'y avait pas d'autres alternatives. « J'en ai encore vu un étendu par terre à la sortie de l'usine ! » chuchotait-il parfois à Manoume, à son retour du travail. Ninine et moi comprenions qu'il s'agissait de quelqu'un, probablement mort de faim, de maladie ou de misère en général. D'ailleurs la misère en général se généralisait de plus en plus. Nous-mêmes avions vu des gens s'effondrer parmi des ruines et ne jamais se relever. Au bout de quelques minutes, les rats leur faisaient rendre leurs derniers râles. Il leur restait parfois suffisamment de vie pour hurler brièvement devant l'horreur de leur fin, mais ça ne durait pas. La vie était bouffée par les rats que nous bouffions à notre tour.

« Je ne vais plus à l'usine ! » déclara mon père quelque temps plus tard. « Il n'y a plus rien à fabriquer. On nous a libérés ! » rajouta-t-il, les yeux rougis par de la misère généralisée qui venait de l'atteindre plus personnellement. Il ne lui restait aucune illusion sur l'avenir. Ç'avait d'abord été le cas pour tante Lanoline qui avait été renvoyée pour cause de fermeture et d'inutilité. Ça avait inquiété Panoume, mais Lanoline, elle, s'en foutait. « On ne peut pas tomber plus bas ! Sinon, aussi bien que ça arrive sans travailler ! » avait-elle dit, désormais contente d'avoir à penser uniquement à survivre. Pour mon père, cette situation était plus difficile à assumer. L'usine lui fournissait encore quelques vêtements, des médicaments à l'occasion, du charbon pour la maison et il pouvait y chaparder quelques objets de quincaillerie qui lui permettaient de faire tenir encore debout ce qu'il restait de notre maison. Panoume avait cependant une autre raison de s'inquiéter plus fortement : si l'usine s'était arrêtée de fonctionner, c'est qu'autre chose avait cessé aussi, mais quoi ? Il se produisait un changement dont il ne connaissait pas la nature. Évidemment, sans journaux depuis des temps qui remontaient presque à ma naissance, et sans radio ni télé depuis encore beaucoup plus longtemps, nous vivions dans l'inconnu, sans information. Seules les rumeurs et notre imagination pouvaient alimenter nos discussions à propos de la situation. Mais ces informations étaient toujours contradictoires. Panoume commença à dépérir à partir du moment de son congédiement. L'inquiétude le rongeait jour après jour à cause des images qu'il voyait dans sa tête. Toute la journée, il demeurait assis par terre dans un coin de la cuisine. Il se laissait bouffer tout rond par l'appréhension, laissant un kilo ici et un autre là. Ma mère le regardait mourir à l'intérieur de lui-même sans pouvoir trouver la force de le ramener à la raison. De fait, Panoume ne trouvait plus de raisons valables à rien. Parfois, Zop allait s'asseoir à ses côtés et essayait de comprendre comment son beau-fils réussissait à s'approcher de la mort. Il aurait bien voulu savoir. Mais ça ne marchait pas pour tout le monde.

L'année de nos huit ans fut plutôt vieillissante pour Ninine et moi. Le ciel passait du rouge au blanc floconneux. Les avions changeaient de couleurs de plus en plus fréquemment. Quant à la ville, elle était en voie de devenir un simple horizon sur lequel se découpaient les arêtes squelettiques de ce qui avait jadis été des maisons. Pour entretenir notre cour, il fallait balayer la poussière deux fois par jour. Dans l'air flottait une odeur de métal. Ninine et moi, nous devenions parfois tristes. Mais nous tenions bon à cause de Groube que nous avions adopté. Sur notre amour, nous avions fait le serment de nous en occuper.

Jour 10

L'an 0063 arriva le lendemain de l'an 0062. Le temps courait à toutes jambes devant et derrière nous, dans des directions opposées. Nous ressentions vivement l'impression d'exister toujours au passé. Au fur et à mesure que nous vivions, l'existence se transformait en souvenirs dans l'arrière-tête. Ça nous faisait tout drôle à Ninine et à moi de nous sentir vieillir aussi rapidement. Était-ce une simple impression que nous ressentions ou la réalité que nous observions ? Nous l'ignorions, mais dans les deux cas, nous vieillissions. D'ailleurs, c'était le genre de questionnement que nous avions banni de nos préoccupations intellectuelles : tout d'abord parce que penser ouvrait l'appétit et que c'était cruellement souffrant d'avoir faim pour rien, ensuite parce que les réponses ne venaient jamais et ne s'avéraient pas vérifiables. Pour chaque question de cette nature, il fallait attraper une souris et la bouffer après avoir pensé. D'un commun accord, Ninine et moi conclûmes d'essayer de réduire la dimension de notre cerveau pour ralentir la machine à questions. Plusieurs fois par jour, nous nous promenions ensemble en pressant notre crâne entre nos mains pour laisser moins de place aux idées. Un jour que Manoume nous surprit en plein exercice de survie intellectuelle et de rétrécissement crânien, elle crut que nous devenions fous de désespoir en nous voyant ainsi effectuer l'aller et retour de la cuisine au salon, la tête entre les mains.

— Mais bon sang ! Qu'est-ce que vous avez ? Vous n'allez pas devenir fous vous aussi ? J'ai déjà Zop, Zin, Panoume et Groube, c'est assez ! c'est assez ! Arrêtez ça ! criait-elle en nous poursuivant dans la maison. Pour rien au monde nous n'aurions cessé de pratiquer l'exercice, à cause de l'espoir que nous mettions dans notre forme de désespoir. Cela constituait une discipline de survie pour nous.

— T'en fais pas, Manoume ! On ne devient pas fous ! On s'exerce à moins penser. Justement pour pas avoir un trop plein d'idées ! Trop, ça fait pourrir ! lui dis-je en pressant mon crâne.

— Mais vous allez me rendre folle à la fin ! On ne presse pas les idées comme on presse un citron ! répondit-elle en salivant abondamment. Quelque chose qu'elle venait de mentionner lui avait fait monter l'eau à la bouche. Ninine et moi, nous ne savions pas de quoi il s'agissait, étant plus habitués aux rats qu'à tout autre mets d'ailleurs absent de notre souvenir.

— On ne peut pas arrêter de penser, Manoume ! Alors il faut laisser moins de place aux idées futiles. Ça nettoie la cour intérieure, ça fait le ménage et ça empêche d'éprouver la faim ! rajoutai-je en pressant plus fortement ma tête, au moment où je doublais Ninine dans le corridor conduisant à la cuisine.

Manoume s'effondra par terre dans la cuisine, à côté de Panoume devenu méconnaissable en une année. Elle donnait comme prétexte à son épuisement la difficulté qu'elle éprouvait à nous élever. Mais elle souffrait d'épuisement ordinaire, comme quand on en a trop fait pendant trop longtemps pour trop de gens. Manoume perdait doucement ses raisons de vivre. Elle savait bien que le temps se déplaçait vite par les temps qui couraient et qu'elle n'était maîtresse en aucune façon de la situation, de la vie. Elle demeura prostrée ainsi pendant quelques semaines, appuyée à Panoume qui, impassible, demeurait assis par terre dans son coin de la cuisine. Il fixait le plafond ; elle, le plancher.

Puis, un matin, elle vit que de l'écume sortait de la bouche de Panoume. C'était de l'écume rouge. Elle nous appela tous en criant. Parvenu dans la cuisine, je vis Panoume dans la même position assise qu'il avait adoptée depuis une année. Ses yeux étaient exorbités, jaunis. Panoume regardait droit devant et je me doutai qu'il n'y avait plus rien à voir pour lui. Manoume s'était enfin décidée à se relever. Elle observait la mort triompher de son mari. « Ça y est ! Il l'a eue ! » s'écria Zop à la vue de son gendre. « Il l'a trouvée ! » Il s'était approché, fébrile, pour tenter de déceler un signe qui lui permettrait à son tour d'aller chercher cette mort qu'il appelait toujours. Ninine s'était placée à mes côtés et avait pris ma main dans la sienne. Elle serrait mes doigts en observant les larmes qui coulaient sur mes joues. Elle se colla contre moi. Groube se tenait derrière nous deux et se mit à pleurer quand il vit mon chagrin. Je n'avais jamais cru que mon père mourrait réellement. Depuis une année, je ne cessais de me répéter pour m'en convaincre qu'il était temporairement malade. Je me disais que lorsque l'usine le réembaucherait, il se sentirait mieux, que les temps auraient changé et que l'existence pourrait continuer comme avant. Mais il demeurait là, obstinément immobile, avec des restes de vie en forme de bulles rouges qui lui sortaient par la bouche. Tante Lanoline arriva, comprit au premier coup d'œil ce qui se passait, puis entraîna ma mère accablée au salon en la soutenant. Zin rigolait de voir mon père grimacer de la sorte. Et quand elle aperçut Zop qui dansait près du corps en chantant une de ses compositions, elle l'accompagna gaiement.

Il y a longtemps que je te cherche
Et que je te trouve ailleurs qu'en moi.
Essaie de me montrer où tu crèches,
Dans les trous, dans la ville, sur les toits.

J'ai trop grand âge et plus d'espoir.
Quand tu viens tu te trompes à chaque fois,
Et tu repars avant que j'aie pu te voir
Me laissant là vivant malgré moi.

Le restant de l'année se déroula à peu près normalement. Ninine et moi, nous apprenions toujours à vivre. Nous découvrions toutes sortes de réalités que nos neuf premières années nous avaient cachées, sans doute par carence de curiosité de notre part. Depuis la mort de Panoume, nous avions cessé de nous presser le crâne et nous acceptions, au risque de devenir précoces, d'avoir des considérations au sujet de l'existence. Les idées nous arrivaient après les questions ; parfois, c'était le contraire qui survenait. Mais il restait toujours plus de questions que de réponses, alors il fallait s'inventer des idées pour suppléer au manque. « Pourquoi Zop veut-il mourir ? », « Pourquoi Panoume est-il mort ? », « Pourquoi les avions font-ils des trous ? », « Pourquoi Zin se tape-t-elle toujours sur les cuisses ? », « Est-il nécessaire pour vivre qu'il y ait des pénuries ? », « Tante Lanoline est-elle heureuse ? », « Mange-t-on les rats parce qu'ils nous mangent ? », « Qui peut répondre à nos questions ? », « Pourquoi ? ». La pire était la dernière. Pour tenter de trouver l'origine de cette question, il nous fallait nous demander « Pourquoi pourquoi ? ». Et pour vraiment en faire le tour, il fallait formuler « Pourquoi quoi ? ». Nous passions de nombreuses soirées à nous fouiller la matière grise. Lorsque la fatigue nous rendait inopérants, nous reprenions nos jeux médicaux à la docteur Rapou. Depuis quelque temps, à cause des événements, nous n'y avions pas beaucoup joué. Faut dire que nous avions par ailleurs eu accès à d'autres connaissances intéressantes qui nous avaient stimulés et nous avaient obligés à recommencer à jouer.

Par exemple le soir où Panoume fut enterré. Groube, qui à quatorze ans était devenu un adulte costaud, avait été chargé par tante Lanoline de creuser dans le sol de la cour le trou dans lequel devait être déposé le corps de mon père. Il avait terminé cette tâche tard dans la soirée. Manoume n'avait pas attendu l'heure de l'inhumation pour aller se coucher dans son lit, délaissant le coin de la cuisine qu'elle avait précédemment adopté pendant la maladie de mon père. Elle était fatiguée par tout cela. Tante Lanoline nous avait couchés à l'étage, Ninine et moi, puis elle était redescendue pour aider Groube à terminer sa besogne. Quand ils eurent enseveli sans cérémonie aucune le corps déjà puant de Panoume, tante Lanoline et Groube rentrèrent dans la maison. Ce dernier transportait un seau d'eau comme d'habitude impropre à la consommation. Groube était couvert de terre. Tante Lanoline le fit monter dans sa chambre en multipliant les « Chut ! » pour ne pas nous réveiller.

Un mur délabré fait de planches ajourées séparait la chambre de tante Lanoline de la nôtre. Comme d'habitude, Ninine et moi ne dormions pas encore. Nous attendions souvent que tante Lanoline se couche afin de la regarder se déshabiller. Ninine la trouvait très belle et elle disait toujours qu'elle voulait lui ressembler quand elle serait grande. Elle désirait avoir cette poitrine formée de deux seins qui lui semblaient souples quand elle les voyait bouger. « Tu m'aimeras plus comme ça ! » m'expliquait-elle invariablement. Moi, j'étais habitué à voir tante Lanoline nue depuis que j'étais tout petit, mais je la trouvais encore plus belle dans sa jeune quarantaine. « J'aurai des jambes douces comme les siennes ! » rajoutait Ninine, perdue dans la rêverie de sa propre image. La plupart du temps, nous nous passions les bras autour du corps et nous endormions ainsi dans les bras de l'autre.

Ce soir-là, la présence de Groube dans la chambre de Lanoline nous intriguait. D'habitude, il se lavait dans le corridor de l'étage, puis se couchait sur un matelas étendu par terre au même endroit. C'est vrai qu'il était très sale et, à cause de ses idées perdues à tout jamais, peu habile à se laver convenablement. Tante Lanoline aida donc Groube à se dévêtir. Puis elle prit une serviette usée dans un tiroir, la trempa dans le seau d'eau, et commença à le laver. Elle semblait nerveuse et regardait un peu partout pour éviter du regard le corps nu de Groube. Lui, il souriait, content qu'on lui manifeste une attention particulière. Groube aimait tout le monde. Quand il ne pleurait pas, il affichait toujours ce sourire de bonté. Tante Lanoline frotta son visage, son cou, ses bras, son torse, son dos. Elle rinçait fréquemment la serviette dans le seau. Elle se pencha pour lui laver les pieds et les jambes. Tante Lanoline nous tournait le dos. Mais nous vîmes que Groube rougissait sous la lumière blafarde diffusée par une lampe de chevet que Lanoline éteignit lorsqu'elle se redressa pour rincer le torchon sali. Elle nettoya la serviette et la fit remonter le long des jambes de Groube qui émit un léger grognement. Lanoline, qui s'était légèrement penchée, se releva, retroussa sa jupe et se pendit au cou de Groube qui tomba à la renverse sur le lit derrière eux. Elle se promena frénétiquement sur le corps de l'adolescent jusqu'à ce que nous les entendions se plaindre avec des halètements aigus. Puis ils s'endormirent ainsi, l'une sur l'autre.

« Nous devrions le protéger ! » avais-je glissé à Ninine au plus fort de leur tourmente. Mais, avec son intuition féminine qui la trahissait rarement, elle m'avait répondu que tante Lanoline devait savoir ce qu'elle faisait et que Groube n'avait pas l'air vraiment malheureux, en tout cas pas autant que moi en ce moment. J'étais jaloux de voir tante Lanoline en aimer un autre que moi. Et Ninine devenait jalouse à son tour de constater que j'aurais aimé recevoir de telles attentions de quelqu'un d'autre qu'elle.

Ninine et moi, nous avions été rudement secoués, parce que la scène que nous venions de voir ajoutait de nouvelles questions à notre répertoire déjà encombré à cause de la pénurie de réponses. Cette nuit-là, nous avons dormi éloignés l'un de l'autre, un peu gênés, embarrassés par notre propre corps dont nous prenions conscience que nous le connaissions bien mal. Nous sentions aussi que nous n'avions pas l'âge pour tout connaître. Nous nous étions endormis tard, chacun perdu dans la rêverie de son propre corps, à essayer d'en imaginer les utilités probables.

Tôt le matin, les avions recommencèrent leur cirque et nous avons passé le reste de la journée dans la cave, sans boire ni manger. Groube souriait de toutes ses dents moins trois à tante Lanoline qui était redevenue en l'espace d'une nuit la tante aimante que j'avais connue quelques années auparavant. Elle parlait à son aise malgré toute la poussière qui nous tombait sur la tête quand des bruits plus puissants que d'autres ébranlaient les fondations de la maison. Elle encourageait Manoume en lui disant qu'on s'en sortirait encore cette fois, comme d'habitude. L'année s'était achevée avec les plaintes de Groube et de Lanoline. Et avec les bruits insolites qui nous parvenaient des alentours de la ville. Bruits de grincements, de sifflements aigus. Bruits sourds de trous qui font déborder la terre blanche vers le ciel de plus en plus orangé. Les nuits prenaient des couleurs et les jours se perdaient dans la grisaille des retombées du ciel.

Jour 11

Les survivants de la ville ne sortaient guère de chez eux. On ne connaissait plus personne. Les enfants que je côtoyais à l'école jusqu'à l'année précédente avaient dû aujourd'hui se terrer dans les caves avec leurs parents. Ils étaient devenus introuvables depuis que l'école avait fermé ses portes. La maîtresse était morte d'une sorte de manque de goût de vivre. Chacun a ses raisons de mourir. À cette époque, Ninine et moi pensions que l'idéal, c'était de ne pas avoir de raisons pour trépasser. Palule, elle, était très instruite. Elle connaissait probablement beaucoup de raisons pour arrêter de survivre.

Un matin qu'elle avait dû arriver au bout du rouleau de ses connaissances, elle s'était présentée à l'école pour une des rares fois où nous pouvions encore nous y rendre. Elle avait salué les quelques enfants qui jouaient dans le grand trou de notre classe, parmi les poutres effondrées et la poussière blanche qui tapissait le sol. Elle tenait à la main un seau rempli de charbon grisonnant, bien chaud. Sous un de ses bras, elle portait un petit ballot de vieux linge. Elle déposa le tout près du tableau qui s'inclinait dangeureusement, puis elle nous invita à aller jouer dehors pendant quelques minutes. « J'ai des choses à terminer ! » avait-elle dit d'une voix rauque, fatiguée. Nous avions cru qu'elle avait à préparer une leçon qui nous était destinée. Quand nous fûmes tous sortis, accompagné de Ninine, je retournai vers l'entrée souterraine de l'école. Elle avait piqué notre curiosité. Nous descendîmes doucement pour épier Palule. Nous la vîmes vider lentement son seau de quelques briquettes de charbon. Elle les laissait tomber sur le sol autour des poutres encore accrochées par une de leur extrémité au plafond, mais dont l'autre extrémité touchait la terre. Quand elle eut ainsi fait le tour de la classe, elle prit des morceaux de linge du ballot et en disposa sur les petits tas de briquettes. Ninine et moi nous interrogions du regard, en demeurant cachés derrière un tas de débris. Rapidement, le feu intérieur des briquettes fut nourri par les vieux tissus et les flammes commencèrent de s'élever, léchant le bois sec des poutres. En quelques minutes, le feu se propagea au plafond avec beaucoup d'intensité. Nous n'avions jamais vu un tel feu de joie. Je dis de joie parce que Palule sautait et dansait en riant au milieu des flammes. Elle semblait complètement atteinte par le bonheur. La fumée commençait à rouler de gros nuages noirs vers nous et nous obligea bientôt à sortir à la hâte, car nous suffoquions. Dehors, nous pûmes reprendre notre souffle. Déjà, tous les enfants s'étaient réunis autour du trou et regardaient le plafond qui brûlait maintenant à l'extérieur. Nous entendîmes quelques cris déchirants traverser le crépitement du brasier. Puis des cris plus brefs. Enfin, plus rien. Les pompiers arrivèrent quelques instants plus tard et se contentèrent de regarder brûler ce qui restait de l'école. Ils nous demandèrent si des enfants se trouvaient à l'intérieur. « Non ! Il n'y avait que Palule, la maîtresse. Je crois qu'elle en savait trop et qu'elle ne voulait plus apprendre avec nous. C'est elle qui a allumé le feu ! » avait expliqué Ninine au chef des pompiers qui renvoya alors tous les enfants chez eux.

Nous étions un peu tristes, parce que l'école demeurait le seul et dernier endroit où nous pouvions nous rencontrer entre enfants. Autrement, tous se terraient à l'intérieur de leur trou-maison ou de leur maison pleine de trous, comme la nôtre. Nous ne sortions guère plus loin que notre cour depuis longtemps. Par conséquent, nous serions alors encore plus isolés les uns des autres.

Cette journée-là, Ninine et moi, nous rentrâmes donc plus tôt qu'à l'habitude. Zop s'était enfermé dans une garde-robe du corridor de l'étage et Zin rigolait devant la porte que refusait de lui ouvrir Zop. Manoume était couchée et dormait. Depuis la mort de Panoume, elle se levait pour venir manger ou pour descendre à la cave lors des alertes. Le reste du temps, elle le passait dans la chambre de tante Lanoline. Cette dernière la lui avait cédée pour reprendre la chambre du rez-de-chaussée. Groube avait déménagé ses pénates dans le corridor attenant à la nouvelle chambre de tante Lanoline. Comme nous le cherchions et qu'il demeurait introuvable à l'étage comme au rez-de-chaussée, nous nous rendîmes à la cave. Là, nous surprîmes tante Lanoline couchée à plat ventre sur un matelas de l'abri, les fesses relevées tenues à deux mains par Groube qui pratiquait sur elle une gymnastique qui nous était totalement inconnue. Ils ne semblaient pas dérangés par notre présence, mais nous avions préféré remonter et sortir dehors pour jouer dans la cour. Nous les laissions passer le temps à leur façon.

Ils étaient de plus en plus souvent ensemble, ces deux-là, et nous de moins en moins souvent avec d'autres. Nous voulions profiter de cette journée pour fêter nos dix ans et les quinze ans de Groube qui n'en avait sûrement pas plus de dix, sauf pour certaines occasions comme celles de la gymnastique presque quotidienne avec Lanoline. Nous nous étions sentis un peu orphelins, même si nous avions adopté Groube. Assis par terre sur le sol blanchi de la cour, nous nous étions parlé longuement, main dans la main. De notre anniversaire dont la date demeurait incertaine dans notre mémoire. Et de la maîtresse d'école.

— Pourquoi elle a fait ça, Palule ? ai-je demandé à Ninine.

— C'est la faute aux temps qui courent ! Pour elle, elle était trop vieille, c'est tout ! me répondit Ninine qui regardait le ciel gris comme s'il avait été une grande question. Quand nous serons trop vieux, qu'est-ce qu'on fera ? rajouta-t-elle.

— J'sais pas ce qu'on fera, mais j'sais ce qu'on fera pas ! avais-je répondu d'un ton assuré.

— Qu'est-ce qu'on fera pas alors ? m'avait-elle demandé, son regard vaguement inquiet maintenant à la recherche du mien.

— On se laissera pas mourir dans un coin comme Panoume l'a décidé ; on ne cherchera pas à mourir tout le temps comme

Zop essaie de le faire. J'veux pas qu'on passe notre vie dans un lit à la façon de Manoume et j'ai pas envie de rigoler éternellement à la manière de Zin ! lui expliquai-je, déterminé. J'étais convaincu que si on le voulait, on pourrait vivre comme on l'entendait.

— Et Groube ? Et tante Lanoline ?

— Ils ont l'air bien ! Ou mieux que les autres !... En tout cas, ils sont bien dans leur peau !... Faut dire qu'ils en profitent de leur peau ! lui dis-je après un moment d'hésitation, en esquissant un sourire auquel Ninine avait répondu par un éclat de rire qui nous contamina complètement.

Notre rire se répercuta gaiement dans la cour et nous nous sentions comme si le monde avait ouvert des trous dans ses murs pour que nous puissions nous y glisser et nous rendre ailleurs vivre une autre vie. Mais nous restâmes dans la cour parce que ce n'était pas vrai ce que nous venions d'imaginer.

L'année de nos dix ans fut marquée par l'absence d'autres enfants pour jouer avec nous. Tout le monde devait ressentir une peur incontrôlable dans la ville puisque tous se terraient. Surtout depuis l'affaire de la mort de la maîtresse d'école, on ne voyait plus personne. C'était à se demander si nous n'étions pas les seuls survivants. Il nous arrivait pourtant d'entendre des cris, des gémissements. Mais nous n'allions pas voir ce qui se passait. C'était à cause du bruit gigantesque qui, de jour en jour, ne cessait de se rapprocher, surtout en provenance du côté nord. C'est d'ailleurs dans cette direction que Groube devait maintenant aller en expédition pour trouver des rats. Dans le reste de la ville, ils se raréfiaient, cependant qu'au nord ils peuplaient à profusion. Notre enfant adoptif revenait souvent avec trois et même quatre beaux gros rongeurs bien gras. La soupe n'était pas pour autant meilleure, parce que l'eau, même bouillie, était tellement pleine de vase que nous avions l'impression de bouffer du sable délayé, saveur rongeur.

Une journée, Groube était revenu en courant, tout en sueur, incapable de parler. Nous l'avions fait asseoir pour qu'il reprenne son souffle et se calme. « C'était plein d'hommes morts dans des trous. Ça débordait dans les rues. Et j'ai pas réussi à attraper de rats parce qu'il y avait beaucoup trop de cadavres. Il aurait fallu que j'aille m'étendre au milieu du tas. J'étais pas capable. C'était plein de morceaux partout. Et le bruit était effrayant. On entendait la terre se soulever au loin et quand ça diminuait, on entendait alors les rats manger ! » raconta-t-il au bout d'un moment. Ninine prit la tête de son frère et l'appuya sur son épaule. « C'est pas grave, Groube ! On mangera rien pendant un temps. Ça nous fera du bien ! » lui dit-elle doucement pour l'apaiser. Elle était triste. Lui aussi. Et de les voir aussi impuissants dans les bras l'un de l'autre, ça me rendait triste à mon tour. Je songeais aux histoires de tristesse de mon enfance et je sentis que ça remontait en moi. Alors, je les fis rentrer dans la maison et j'appelai tante Lanoline pour qu'elle nous console un peu. Elle nous entoura de ses bras et chantonna doucement une berceuse de son enfance.

Quand j'étais jeune, il y avait des canards,
près de chez moi, qui jouaient dans la mare.
Avec leur bec pêchaient les p'tits poissons,
pour faire manger leurs petits canetons.

Mais un jour vint un très gros poisson,
qui bouffa tous les p'tits canetons.
Les canards, qui nageaient sur la mare,
Sous l'eau plongèrent, emplis de désespoir.

Quand ils revinrent au-dessus de la mare,
Au bec portaient l'arête du poisson.
N'avaient pas trouvé leurs petits canetons,
Mais allèrent pondre de petits œufs bien ronds.

Depuis ce temps quand ils jouent dans la mare
Les canards ne mangent plus les poissons
Et les poissons ne bouffent plus les canetons.
Mais les deux font des p'tits œufs bien ronds.

J'aimais beaucoup l'air de cette chanson. À force d'imagination, j'avais réussi à me faire une certaine idée de ce qu'étaient des canards, des canetons, des poissons ainsi que des œufs. Mais les images demeuraient floues. Imprécises, elles l'étaient aussi pour tante Lanoline qui essayait de me faire comprendre ces réalités en me les décrivant selon les images qu'elle avait elle-même apprises de Zop et de Zin lorsqu'elle était petite. Elle n'avait jamais vu de canards, ni de poissons, ni d'œufs. Elle ne se souvenait pas si mon grand-père en avait lui-même aperçu. Et il était trop tard pour le lui demander, à cause des idées perdues à jamais, enfuies avec le temps.

Quelques jours plus tard, alors que nous jouions dans la cour, nous entendîmes des bruits de pas. Convaincu de voir un enfant probablement en quête de rats, je passai la tête par-dessus la barricade pour faire connaissance. Il y avait un homme qui avançait en titubant parmi les décombres. Il lui manquait un bras mais, à l'endroit où le membre s'était détaché du corps, il ne manquait pas de sang. C'était toujours ça de pris. Il affichait un air hagard. Il semblait guider sa marche plus avec ses pieds qu'avec ses yeux. Quand il parvint à ma hauteur, je vis qu'il regardait devant lui mais ne voyait rien. Ses yeux étaient blancs, complètement blancs. Et ses cheveux aussi étaient d'une blancheur parfaite. Il portait un survêtement d'une seule pièce, déchiré un peu partout. Il passa son chemin sans me voir. Le surlendemain, il me fut donné de voir la même scène. Cette fois, les hommes arrivaient en bande de deux ou trois. Certains devaient être portés sur le dos de leurs compagnons. C'était surtout à cause des jambes qui manquaient. Par une sorte d'instinct de méfiance qui m'était inconnu jusqu'alors, je me cachai pour les regarder passer. Bien qu'ignorant la raison précise de ma peur, je craignais qu'ils eussent pu me voir. Au bout de quelques jours encore, d'autres survinrent. Quand tante Lanoline les aperçut, son sang déserta son visage et ses lèvres bafouillèrent des paroles confuses. Je compris cependant que ce n'était pas la première fois qu'elle voyait des soldats. Elle sortit en vitesse et accourut vers un groupe de trois hommes. Quand elle les rattrapa, elle se planta devant eux. « Connaissez-vous Haka ? Avez-vous vu Haka ? Où est mon Haka ? Répondez-moi s'il vous plaît ! Où est Haka ? » leur demanda-t-elle en les implorant. Indifférents, ils poursuivirent leur chemin. Tante Lanoline courut à nouveau vers eux et s'arrêta encore une fois devant le premier homme du groupe. Avant qu'elle n'ait eu le temps d'ouvrir la bouche, celui-ci lui envoya une gifle du revers de la main et elle roula par terre dans la poussière blanche des débris. Ninine accourut avec moi pour la remettre sur pied. « Viens ! Laisse tomber, tante Lanoline ! Rentrons chez nous ! » lui dis-je nerveusement, secoué par ce spectacle. Lanoline nous fit tous descendre à la cave. Elle placarda comme elle le put les ouvertures de la maison et s'empara des couteaux de la cuisine pour les déposer à côté de la hache, dans la cave. Elle replaça le matelas de Groube près des nôtres et s'étendit, épuisée, sanglotant à la façon de quelqu'un qui se retient depuis une éternité. Groube, figé dans une immobilité inquiète, nous regardait nous agiter sans être capable de nous apporter une aide quelconque. Il se mit à pleurer lui aussi. Pour ne pas être en reste, j'enchaînai avec Ninine. Zop gueulait, comme d'habitude, et Zin se tapait sur les cuisses en riant à chaudes larmes. L'année de nos dix ans nous offrit ce spectacle pendant encore quelque temps.

Jour 12

L'an 0065 fut plus difficile que court. Et plus difficile que tout. Nous ne connaissions pas encore grand-chose. Mais déjà j'essayais de ne plus comparer rien à rien lorsque c'était possible. Ça n'avait pas de signification du tout de se demander si ceci ou cela était «plus ou moins pire» que ceci ou cela. Nous faisions vivre la vie en y mettant du cœur le plus possible. Sans doute, nous trouvions difficile de constater les affronts que notre maison subissait: feu, trous, fumées, secousses, bruits, poussières l'avaient rendue semblable aux autres habitations de la ville, c'est-à-dire une ruine qu'il est possible d'habiter à condition que ce soit par-dessous. Mais c'est probablement la mort de ma mère qui me rendit éprouvante cette année de merde. Depuis que nous étions confinés dans l'abri de la cave, Manoume avait laissé échapper des idées de sa tête et les avait remplacées par d'autres. Elle était devenue une imitation combinée de Zop et de Zin. Parfois elle gueulait, d'autres fois elle riait. À l'occasion, elle pratiquait les deux ensemble. Elle plaçait aussi les mots un peu n'importe comment dans ses phrases. Et ses phrases n'étaient pas toutes composées de mots. Elles n'étaient souvent que de longs silences conjugués avec des grimaces, des rictus débiles et des roulements d'yeux qui faisaient chavirer la planète dans un monde où Manoume vivait seule. Elle n'était plus guère à propos, comme le disait Ninine. Elle délirait fréquemment en pensant à Panoume. C'est ce qui la tua en un sens, parce qu'autrement ce n'est pas arrivé aussi simplement.

Depuis plusieurs temps, des bandes d'hommes armés, souvent blessés, vêtus d'uniformes d'une seule pièce, patrouillaient les rues désertes. Pendant des jours, des hommes en noir venus du nord envahissaient la ville. Lorsqu'ils entraient dans la maison, c'était par derrière. Puis arrivaient du sud des hommes en gris qui, eux, franchissaient les débris de notre demeure par la porte avant. Jamais ils ne se présentaient au même moment. Notre vie suivait le mouvement de flux et de reflux des troupes. Après le départ d'un groupe, il se passait quelques jours avant que les hommes d'un autre groupe n'arrivent. Nous avions enfin compris qu'il y avait deux armées et qu'elles s'affrontaient depuis toujours dans les environs. Je ne connaissais hélas ! pas l'étendue des environs. Mais la ville était devenue l'enjeu de leurs combats. C'est tante Lanoline qui nous avait expliqué cela. Moi, j'avais sauté sur l'explication parce que j'étais curieux des mots en général. Et puis ça faisait des réponses aux questions. Plus je vieillissais, plus je comprenais le sens des mots, du moins le sens que la vie avait donné aux mots. Par exemple, le mot enjeu était un mot d'enfants que des adultes avaient fait vieillir en le transformant. Je détestais ces mots d'adultes. Ces derniers venaient toujours jouer là où on ne les avait pas invités.

Après le départ d'un groupe, nous pouvions sortir de notre cachette et tenter de nous ravitailler. Tante Lanoline nous avait bien expliqué de ne jamais nous faire voir par l'un ou l'autre des hommes. « Eux, ils sont d'un camp. Ils sont du sud ou du nord. Mais nous, nous ne sommes de nulle part ! Nous sommes d'ici. » La cave prenait de plus en plus l'allure d'une prison. Nous devions bâillonner Manoume, Zop et Zin, et leur attacher les mains afin qu'ils ne se manifestent pas quand nous décelions la présence des soldats au bruit de leurs pas sur le plancher du rez-de-chaussée. Ils se promenaient dans la maison en gueulant comme des chiens. Ils cherchaient à manger et furetaient en général pour découvrir les petits extras de la vie de soldat. Le plancher était jonché de débris que tante Lanoline et Groube avaient disposés çà et là pour créer l'illusion que les lieux avaient été désertés depuis longtemps. Ils avaient pris soin d'accumuler de vieux meubles et de petites poutres devant la porte qui donnait accès à la cave, de telle sorte qu'elle demeure ainsi dissimulée. Nous utilisions une autre sortie que nous avions creusée à même un des murs de notre abri. L'issue extérieure se confondait avec les autres trous qui entouraient la maison. Là aussi nous avions prévu un camouflage fait de débris au travers desquels nous rampions pour accéder à l'abri ou pour le quitter.

Un soir que nous étions tous sortis autour de la maison pour entreprendre notre quête de nourriture — encore du rat —, nous entendîmes des voix baragouiner une langue du sud ou du nord, je ne sais pas, une langue de flux et de reflux. Des soldats s'étaient vraisemblablement perdus dans notre ville et nous entendions leurs pas s'approcher. Aussitôt, Groube et tante Lanoline saisirent Zop et Zin et descendirent les attacher et les bâillonner à la cave.

— Toi et Ninine, trouvez Manoume et faites-la descendre immédiatement ! Tantôt, elle rôdait derrière le muret, là-bas », me dit Lanoline en montrant du bout du doigt de quel mur il s'agissait.

— Vite, Ninine ! Courons là-bas ! lui criai-je. Nous étions paniqués. Nous butions sur le moindre obstacle et déjà nos jambes avaient ramolli. Nous savions le danger d'être découverts pour avoir entendu crier des civils dans les ruines de la ville, lors des mouvements de troupes.

— Chut ! Regarde, Bim ! me dit soudain à voix basse Ninine en me prenant la main pour freiner ma course alors que nous parvenions au muret. Nous aperçûmes Manoume, debout bien droite au milieu de la rue. Elle affichait un air défiant et avait écrit, avec un bâton de vieux rouge à lèvres, toutes sortes de phrases sur sa robe grisâtre. Au même moment, les soldats perdus — ils étaient deux— débouchèrent dans la rue. Ils virent ma mère qui se dressait devant eux comme si elle était devenue le symbole de la survie et que son rôle consistait à le montrer. Nous regardâmes les soldats s'approcher d'elle. Nous savions que si nous étions découverts, le pire nous attendait. Eux, ils rigolaient en lisant sur sa robe. Manoume aurait dû savoir que le seul respect que les militaires ont pour les mots se manifeste quand ils doivent lire des mots qui les obligent à lever la tête, des mots sur des affiches immenses qui ressemblent à leurs pères en train de crier. Mais lorsque les mots sont écrits sur les corps, ils ignorent leur utilité. Alors ils s'en occupent toujours de la même façon. Tante Lanoline m'avait expliqué tout cela depuis que nous résidions en permanence dans l'abri.

— Qu'est-ce qu'on fait ? me demanda Ninine. Elle réitéra sa question au bout de quelques secondes, voyant que les soldats se marraient de plus en plus devant ma mère et constatant que j'étais cloué sur place.

— J'ai onze ans et une tige de métal qui traîne là, par terre. S'ils touchent à un cheveu de ma mère, je les tue ! répliquai-je enfin à Ninine. Sans faire de bruit, elle me passa la petite barre de fer d'une main et, de l'autre, prit une pierre.

— J'ai peur, Bim ! dit-elle d'un souffle oppressé. Elle regarda fixement les deux soldats déposer leur mitraillette par terre. L'un d'eux sortit son revolver de l'étui et le braqua sur une tempe de Manoume. L'autre se pencha et tenta de lire ce qui était écrit sur la robe. Il rigolait et laissait échapper de la bave du coin d'une lèvre amochée. Ils criaient des injures et se tapaient sur les cuisses. Manoume les regardait et rigolait un peu avec eux, puis elle les engueulait à la façon de Zop. Nous ne pouvions rien faire, Ninine et moi. Nous montrer les aurait surpris et incités à tirer aussitôt sur ma mère et sur nous. J'avais la gorge nouée, et la salive qui avait déserté ma bouche me ressortait par les yeux.

— Tiens bien ta pierre, Ninine ! Dès qu'ils auront tourné le dos, on leur saute dessus et on frappe ! lui avais-je chuchoté. Pendant ce temps, le soldat qui tenait le revolver poussa brusquement l'autre qui avait commencé à toucher les mots écrits sur la robe. Il saisit un bras de Manoume et le tordit jusqu'à ce qu'elle se plie et s'étende par terre. Puis il se jeta sur elle en relevant sa robe. Presque au même moment, l'autre soldat, ayant deviné qu'il passerait en second, tenta de relever le premier. Les deux se bousculaient sur ma mère.

— Allons-y, Bim ! me commanda Ninine qui m'empoigna par la manche de mon chandail pour me donner le signal de l'attaque. Je courais et je voyais très mal à cause de mes yeux embués. Mais nous n'avions pas crié, ce qui nous permit d'atteindre les soldats sans qu'ils nous entendent venir. Je vis Ninine soulever sa pierre au-dessus de sa tête et la faire retomber très fort sur le cou d'un soldat qui s'affaissa complètement sur le côté. Moi, je me mis à frapper la tête de l'autre qui appuya sur la gâchette de son revolver dès le premier coup reçu. Ma mère eut un soubresaut. Ninine récupéra sa roche et la fit choir violemment sur le visage du soldat qui essayait en vain de se protéger contre les coups de barre de fer qui l'avaient déjà blessé. Son visage rentra dans sa tête et il cessa de bouger. Du sang avait pissé partout sur le sol. Nous étions à bout de souffle, épuisés. Nos jambes ne nous portaient plus et nous tombâmes à genoux à côté de Manoume.

— Manoume ! Manoume ! Viens ! Vite, partons ! lui dis-je en la regardant. Elle est demeurée inerte. Sur sa robe, une immense tache de sang s'était mêlée aux mots de rouge à lèvres. Il n'y avait plus rien à lire. Les mots n'avaient plus de sens. Ils ne pouvaient plus rien dire. Les yeux fixement ouverts de Manoume avaient probablement regardé les dernières phrases insensées la quitter lentement comme le sang qui s'écoulait de son corps. La balle du revolver avait pénétré à la hauteur de sa poitrine. Elle n'avait eu qu'un soubresaut et elle s'en était allée se confondre avec ses idées elles-mêmes perdues à jamais. J'avais les yeux qui pissaient par en-dedans sur mon cœur semblable à la ville pleine de ruines et toute blanche. Ça formait une sorte de caillot qui me remontait à la gorge et qui m'étouffait. Ninine avait mis ma main dans la sienne et elle pleurait à l'extérieur de ses yeux. Je crois qu'elle ne voyait plus rien.

Tante Lanoline et Groube arrivèrent alors que tout était fini. Ils dépouillèrent les soldats de leurs armes et de leurs munitions avant de les traîner au fond d'un trou de maison pour qu'on ne les retrouve pas. Leurs cadavres nourriraient les rats. Puis Groube mit ma mère sur son dos. Tout le temps que dura le trajet vers la maison, il respira bruyamment. L'effort conjugué à la douleur semblaient vouloir le faire sortir hors de lui, comme si d'avoir respiré ainsi lui eut permis d'extirper le mal qu'il ressentait. Il marcha d'un pas rapide. Quand il parvint à la cour, il déposa ma mère sur le côté. Il creusa ensuite un trou proche de celui où gisait Panoume et il enterra Manoume dedans. Groube pleurait. Autant que moi. C'était à cause de sa manière d'être en général.

Le soir venu, j'avais essayé de dormir, mais je n'y étais pas parvenu. Les autres non plus, mis à part Zop et Zin pour qui la vie n'avait pas changé. Je réfléchissais tout haut avec Ninine et nous avions convenu de dresser le bilan de notre famille. J'avais perdu mes parents, tout comme Ninine. Tante Lanoline était notre nouvelle mère. L'enfant que nous avions adopté était maintenant devenu notre père par alliance avec Lanoline. Mais il fallait qu'on s'en occupe encore beaucoup. Zop et Zin demeuraient toujours nos grands-parents. Dehors, un vent blanc soufflait qui faisait geindre les ruines de la ville dévastée. Je connaissais maintenant la haine et elle m'emplissait pour ne laisser de place à rien d'autre à l'intérieur. Je suffoquais dans l'abri qui était devenu toute notre vie. Et je comprenais que vivre à onze ans n'était pas plus facile que mourir.

Jour 13

J'ai vécu ma douzième année en l'an 0066, comme il se doit. Je me suis remis lentement de la mort de ma mère, comme il se doit aussi. C'est l'ordre naturel des choses qui veut que ce soit ainsi : le temps amène la mort, la mort arrive avec le temps et courir après le temps, c'est courir après la mort ; et toutes sortes d'autres phrases ainsi faites fondent la nature de l'ordre naturel des choses. Mais ma mère n'avait pas couru après le temps. Ce sont plutôt deux hommes armés qui avaient poursuivi ma mère et l'avaient tuée. Ça manquait de naturel. C'est pourquoi j'ai mis plus de temps à guérir de l'absence de ma mère.

Voilà ce que j'ai saisi d'une explication fournie par tante Lanoline à Groube qui faisait semblant de comprendre. Par un matin froid, ordinaire, il s'était levé inquiet parce qu'il avait vaguement pris conscience de son existence et, à cause de l'ordre naturel des choses, de sa disparition certaine un jour. Malgré les explications de tante Lanoline, Groube semblait habité depuis cet événement par une immense faille, laide et profonde, qui avait ébranlé dans sa peau intérieure le voile de chair qui contient l'angoisse. Cette dernière avait contaminé Groube comme lorsque les rats qui trouvent un soldat mort se jettent dessus. Notre fils adoptif à Ninine et à moi était devenu songeur plus qu'à son habitude. Et presque rongeur : auparavant, il allait faire des promenades pour nous rapporter un rat ou deux, mais depuis cette explication qui avait fait descendre la nuit en lui, Groube sympathisait avec les rats. Au mieux, il leur lançait des pierres ; au pire, il leur parlait. Il ne mangeait presque plus mais se frottait souvent contre tante Lanoline. Il baisait si fort, avec tellement de vigueur, qu'il aurait pu à cette époque faire fuir les troupes des deux armées tellement le râle qu'il poussait était horrible. Même Ninine et moi étions parfois dégoûtés par ce qui était supposé être chez lui de l'amour. Souffrir de la sorte ne nous intéressait guère. Aussi avions-nous convenu de ne pas nous presser pour mettre en pratique l'amour. Nous continuions à nous découvrir lentement, en fonction de notre âge, selon l'ordre naturel des choses, comme tante Lanoline nous l'avait aussi expliqué.

C'était une femme intelligente notre tante Lanoline, mais qui avait vieilli plus rapidement depuis la mort de ma mère. Elle portait sur ses épaules le fardeau de notre petite humanité. Ce poids semblait lourd, à voir la masse d'explications que Lanoline avait entrepris de nous donner à propos de l'ordre naturel des choses, « ...la vie, quoi ! », comme elle s'exclamait souvent, excédée et visiblement dépassée par des questions auxquelles elle ne pouvait répondre. Elle avait décidé que nous terminerions nos classes dans notre abri, malgré les rumeurs du sud et du nord qui persistaient à planer sur les environs dont nous ne connaissions toujours pas l'étendue. Ainsi, tante Lanoline nous obligeait à écrire sur le sable toute la journée. Elle faisait des efforts inouïs pour nous livrer la somme des connaissances qui l'habitaient : les chiffres, les mots, les couleurs, les animaux, le ciel, la terre, les humains. La tâche demeurait d'autant plus difficile qu'elle-même n'avait jamais vu, connu, entendu ou touché plusieurs des sujets au programme. Il fallait ainsi que Ninine et moi imaginions des animaux, des couleurs, des humains, de toutes sortes, de toutes natures, de partout, mais hélas ! pour nous de nulle part. Restait-il quelque chose de toutes ces réalités ? La ville était devenue complètement morte. Depuis une année, nous ne sortions plus de l'abri sauf pour traquer quelques rats dans les parages. Je n'avais jamais connu que ma cour, ma maison, l'école, quelques rues. S'il ne demeurait rien des réalités que ma tante tentait de nous faire connaître, elles ne vivaient plus qu'en nous, dans notre imagination. Ainsi, de ce que Ninine et moi tentions de recréer, qu'y avait-il de vrai ? Nous prenions conscience qu'un autre ordre avait déjà existé, qu'une autre vie avait été vécue par nos ancêtres, qu'il existait de la couleur et des mots que nous aurions pu avoir la chance ou le bonheur de voir, de toucher, de caresser, d'entendre, de sentir.

Nous n'avions rien d'autre à faire que d'écouter attentivement les leçons de tante Lanoline. Un jour, elle nous avait expliqué de quoi était constituée l'intelligence parce que Ninine et moi avions décidé d'être intelligents : de le devenir, pour tout dire. Nous avions mis à contribution toutes les ressources disponibles que nous possédions, c'est-à-dire celles de notre cœur. Il est vrai que nous étions un peu démunis en général, mais nous nous souvenions de l'engagement pris quelques années auparavant dans la cour de la maison : celui d'être déterminés. Devant l'ampleur du travail à abattre, Ninine m'avait dit en utilisant le langage et la métaphore que nous connaissions à cette époque :

— Bim ! Nous allons devenir le moteur qui actionnera l'hélice pour pousser le vent parmi les nuages de notre cerveau. Ainsi nous atteindrons des zéniths purs et clairs à l'horizon de nous-mêmes ! me dit-elle cette fois-là. Je n'étais pas certain d'avoir bien compris, mais ses mots respiraient. Ils vivaient et bougeaient dans ma tête.

— J'aime bien comme tu parles, Ninine ! Si la montagne nage, nous le pouvons aussi ! lui répondis-je, pour la remercier de faire ainsi confiance à notre détermination et pour lui montrer que je n'étais pas en reste d'imagination quant aux mots, même si je trouvais les miens parfaitement grotesques. Ses propos m'étaient restés obscurs, mais le ton de sa voix m'avait transporté ailleurs dans mon esprit. Je sentais en nous qu'il existait quelque chose, quelque part, que nous ignorions et que nous voulions découvrir. Tante Lanoline disait que désirer faisait partie de l'instinct de survie que nous possédions. Il était maintenant clair pour nous que nous ne faisions que survivre. « Mais si la vie n'existait plus, comment vivre ? » demandai-je à Ninine.

— Nous sommes toujours vivants, Bim ! Donc la vie existe. Il faut essayer de découvrir ce qu'il est possible de faire. Ensuite, nous le ferons ! me répondit-elle d'un ton catégorique. Je compris que nous cherchions sans trouver et que nous parlions beaucoup. Nous discutions constamment de tout et nous concentrions nos efforts à imaginer des réalités inconnues et les moyens d'y accéder. « La réalité, elle existe, Ninine ! Nous sommes dedans, merde ! » lui répliquai-je pour la rendre de mauvaise humeur.

— Oui ! Nous sommes dedans, merde ! comme tu dis si bien. Mais il faut trouver ailleurs ce qui existe autrement. Cherche, espèce de taré de douze ans ! m'envoya-t-elle d'un ton excédé, ne daignant pas seulement me regarder au moment où je me mis en colère.

La mauvaise humeur faisait partie de nos jeux d'imagination. Nous nous engueulions souvent. Pendant toute cette année, Ninine continua d'affirmer que nous découvririons peut-être ainsi qu'il existait une source de vie autre dans l'abri, dans la ville. Puis, après chacune de nos colères, épuisés, nous nous faisions câlins afin de nous rapprocher de nous-mêmes et de notre odeur, afin de humer la terre qui nous recouvrait le corps. Pour n'avoir plus à imaginer ce que nous aurions pu être ou pourrions devenir, nous nous caressions le visage, les bras, les épaules, le dos, et nous reposions dans les bras l'un de l'autre, nous endormant dans la réalité jusqu'à ce que des rêves venus d'ailleurs nous éveillent à nouveau, nous faisant répondre à leur appel pour que nous tournions, insomniaques, en rond dans l'abri.

Jour 14

En 0067, de plus en plus avec le temps, les jours et les semaines passant, rien ne changeait dans la ville sinon qu'il y faisait froid davantage, de jours en semaines, avec le temps, toujours de plus en plus. Il n'était plus question de faire de feu, ce qui aurait immanquablement signalé notre présence aux cannibales armés du sud ou du nord. Nous gelions sur place dans l'abri, dans la cave, dans le restant de maison que nous habitions. Quelque temps, quelques jours, quelques années auparavant, même en l'absence du soleil puisqu'il était caché depuis presque toujours par une masse de poussière blanche, jamais je n'avais connu de froid aussi intense. Comme je n'avais jamais réellement vu le soleil, sauf pendant mes trois ou quatre premières années de vie, la seule chaleur que je connaissais convenablement et sur laquelle je comptais demeurait celle du feu domestique. Encore une fois, la ville souffrait de disette. La ville était une disette en soi, un trou, un vide, une absence. Auparavant on manquait de presque tout. Mais depuis de nombreuses années, il n'y avait plus rien dans les magasins ou autres sortes de points de vente. Ceux-ci n'existaient plus depuis belle lurette dc telle sorte qu'on s'était habitués à vivre de rien. Notre luxe demeurait le chauffage. Et il n'était plus possible aujourd'hui de brûler même un peu de débris dans un petit poêle ou un réservoir de métal transformé en fournaise minuscule, pour exercer ce qui me semblait un droit acquis par la tradition humaine : celui de survivre grâce au feu. Bref, la vie était de glace.

Ninine et moi regardions Zop et Zin se les geler malgré ce qui leur en restait, et ça nous faisait crever. Ninine et moi, quand nous avions trop froid, nous nous prenions à bras-le-corps pour nous réchauffer. Nous étions en amour de notre âge, c'est-à-dire que cela s'exprimait plus en superficie sur nos corps. Pour le chauffage, cela offrait une solution partielle que nous adoptions plusieurs fois par jour. Pour Zop et Zin, c'était très différent parce qu'ils s'étaient déjà aimés en tant qu'adultes qui ont pris de l'âge, comme nous l'avait expliqué tante Lanoline. Même si l'amour n'était pas décédé en eux, il avait vieilli et il se disait et se faisait autrement, c'est-à-dire trop peu. À la décharge de Zop et de Zin, il faut bien dire que l'amour a beau gîter dans le cœur, quand le cerveau fait des siennes et qu'il se débarrasse de ses idées comme si elles étaient devenues superflues, il risque de jeter par-dessus bord des idées qui parlaient au cœur. Sans les mots, le cœur peut se perdre de vue et s'oublier lui-même. Alors quand il est question de voir le cœur de l'autre et qu'on a oublié l'existence même du sien, c'est difficile à faire. De plus, parvenir à ne pas oublier Zin, cela représentait pour Zop une difficulté incontournable. En eux, l'amour avait oublié de qui il était question dans l'altérité. Et les deux, Zin et Zop, ils se les gelaient parce qu'ils avaient oublié que l'amour réchauffait quand on le voulait bien.

Quant à tante Lanoline et à Groube, ils continuaient à s'aimer de leur âge quoiqu'ils n'eussent pas le même. Groube n'avait pas guéri sa mélancolie qui durait depuis une année, mais il s'y faisait et nous aussi. La vie n'était pleine que de rebondissements plutôt plats, mais c'étaient les seuls changements, les uniques surprises qu'elle nous réservait. Alors nous les acceptions presque avec joie, même si cela consistait souvent à observer Groube pleurer sans rien y pouvoir faire.

Tante Lanoline avait tenté de régler le problème de promiscuité dans l'abri en accrochant au plafond une grande couverture défraîchie qui pendait jusqu'à terre pour former ainsi un mur illusoire. Illusoire parce que le tissu était troué en maints endroits et qu'il laissait de toute façon filtrer les sons jusqu'à nos oreilles qui partaient alors en quête du moindre bruit venu du côté de chez Groube et Lanoline. Ça nous permettait à Ninine et à moi de stimuler notre imagination et de meubler le temps qui passait pour tenter de lui donner un peu de corps. Mais Groube semblait vraiment souffrir. Comme s'il perdait lentement les esprits qui lui restaient. Lanoline aussi souffrait, mais à sa manière qui nous semblait beaucoup plus agréable. Quand ils se faisaient de l'amour, les petits gémissements que Lanoline poussait traversaient délicatement les ouvertures de la couverture et nous donnaient des envies de vieillir plus rapidement ; alors que les cris horrifiants de Groube lacéraient le mur illusoire du tissu et le faisaient même parfois tomber, nous enlevant du coup toute envie de changer d'âge avec nos corps.

Zop et Zin demeuraient dans leur coin, l'un loin de l'autre, aussi étrangers aux autres qu'à eux-mêmes, le visage blanc et l'air hagard, perdu et triste, malgré les rictus innocents de Zin et les colères affaiblies de Zop. Ils ressemblaient à des cadavres qui respirent sans raison apparente. Ninine et moi, nous sentions bien qu'au fond de tout il y avait des raisons pour tout. Pour Zop et Zin, c'était la même chose. Ils avaient raison de vivre. Pourquoi ? Ça, nous ne le savions pas, mais nous devinions qu'eux-mêmes ne connaissaient pas cette raison. Nous pensions qu'ils auraient pu s'aimer un peu plus, mais comme tante Lanoline nous l'avait expliqué, ils s'aimaient eux aussi de leur âge. Alors mieux valait ne rien changer à l'ordre naturel des choses. Mieux vaut ne pas trop bousculer quand rien ne tient en place, quand tout s'est écroulé depuis tellement longtemps qu'on ne se rappelle pas avant ce longtemps, qu'on a perdu mémoire de l'époque où tout ne s'était pas effondré, époque où la vie devait offrir des images de la réalité que Ninine et moi aurions aimé reconstituer par les souvenirs des autres. Mais les autres ne possédaient plus de mémoire, Zin et Zop surtout, ou alors leurs souvenirs ne remontaient pas suffisamment loin dans le temps pour nous permettre de recréer cette réalité de façon cohérente, évidente, comme pour les propos de tante Lanoline qui nous apportaient par ailleurs une quantité importante de connaissances, mais que notre cerveau traitait difficilement, sans les nombreuses références de l'histoire du passé.

Bref, nous gelions beaucoup depuis bientôt une année et Ninine et moi en avions marre. Les autres aussi probablement, mais ils ne parvenaient pas à réagir, ils ne voyaient aucune solution à notre vie. Groube rajeunissait au lieu de vieillir, à cause de sa torpeur et de l'angoisse qu'il nourrissait. Il imitait Zop. Lanoline se sentait fatiguée en général et Zin et Zop appartenaient à un monde où l'on ne pouvait pénétrer.

Ninine et moi avons mis une année à comprendre l'importance de certains mots et de certaines réalités. Après maintes discussions où l'imagination l'emportait sur la logique, nous avons cependant conçu qu'il devait être possible de sortir de notre trou pour tenter de découvrir un lieu où on ne se les gèle plus. Nous avions peur des soldats du sud et du nord, mais nous avions atteint une limite à notre endurance : celle de la mort. Au rythme où se déroulait l'existence dans l'abri, il ne faisait aucun doute que nous nous endormirions tous un jour, blottis dans un coin terreux et glacial de la cave, et que jamais nous ne nous relèverions. J'avais vu mourir mon père et ma mère ; Ninine, elle, avait connu plus de morts que de vivants. Certains soirs, dans l'abri éclairé par la lueur blafarde d'une chandelle, nous regardions les membres de notre famille assoupis comme pour le reste de la vie sur la dureté du sol, parmi la poussière blanche des débris. Nous sentions que la mort resserrait l'étau du sud et du nord qu'elle avait disposé autour de nous. À la longue, Ninine et moi avions jugé que la situation avait assez duré. Il fallait trouver une solution. Après maintes discussions, nous en arrivâmes à la conclusion qu'il fallait partir, sortir d'ici. Que savions-nous du monde extérieur, de la ville, du sud ou du nord, de l'est ou de l'ouest ? Peut-être pourrions-nous retrouver ailleurs tout ce que tante Lanoline nous avait patiemment appris depuis quelques années ? Peut-être découvririons-nous des animaux autres que les rats, des paysages différents des ruines, des humains qui peuvent se réchauffer. Peut-être verrais-je enfin pour vrai le soleil ? Peut-être trouverions-nous de l'eau en quantité tellement importante qu'on lui donne le nom de mer, comme tante Lanoline nous l'avait dit en précisant que c'était plus grand que la terre ?

Un soir donc, Ninine et moi, nous avons entrepris de rêver à vivre et ça nous a tout de suite réchauffé le dedans.

— Suffit maintenant de ramasser tout ce qui peut nous être utile. Il nous faut de tout, mais comme il n'y a de rien, faudra inventer des objets ! m'avait dit Ninine avec un air de joie sur le visage.

— Ça brille dans tes yeux, Ninine ! J'suis content moi aussi, mais j'ai peur un peu ! lui ai-je dit en l'observant. Dans son regard, je voyais déjà la vie allumer un petit feu d'espoir. Elle s'avança et prit ma tête entre ses mains.

— Moi aussi j'ai peur, Bim ! Mais je suis contente d'avoir peur ! Ça veut dire quelque chose : nous vivons. Ça signifie qu'on peut trouver n'importe quoi ! Il faut s'attendre à tout, mais il faut sortir d'ici ! me répondit-elle, déposant un doigt sur mes lèvres pour que je me taise et que nous conservions intact l'esprit de notre rêve qu'il faudrait assurément entretenir à coups de petits becs, comme ceux qu'elle venait de déposer, brûlants, sur mes joues.

Des souvenirs de camions de pompiers et de feux, de Panoume et de Manoume m'envahirent le soir de cette décision-là. Je vis ma jeunesse défiler rapidement en faisant des « pin pon » tout rouges à travers les visages éclairés de mes parents. Mais je sentis combien lointaine mon enfance se trouvait et je décidai de la rattraper pour lui faire connaître les temps à venir.

Jour 15

J'ai passé l'an 0068 à chercher divers objets avec Ninine, suite à la décision que nous avions prise. À cause de la pénurie encore plus généralisée qu'au temps de mon père, nous avons mis une année complète à ramasser toutes sortes de choses. Mais il faut la pénurie pour découvrir la richesse et l'abondance de bonnes ordures qui traînent sous les décombres un peu partout. Pour compléter nos bagages, Ninine et moi avons aussi terminé d'apprendre à écrire. Cela nous fut fort utile puisque nous avons commencé à tenir un registre dans lequel nous avons inscrit la liste des objets nécessaires ou disponibles, celle des idées de départ, celle des idées de survie ainsi que plusieurs autres. Nous avons même entrepris de noter quelques souvenirs. Mais ça ne fonctionne pas. Nous n'en possédons pas suffisamment pour qu'ils soient intéressants. Et puis nous raconterions ce que chacun sait déjà de l'autre. De fait, nous avons pris conscience qu'il y avait plus de mort que n'importe quoi d'autre dans notre vie. Hormis les camions de pompiers, les histoires de tristesse et les yeux doux que nous roulons dans nos orbites pour tuer le temps agréablement avec amour, ça ne vaut peut-être pas la peine de noter les autres petits détails. Et pour qui le ferions-nous ? Ninine a abandonné ce projet complètement. Moi, je l'ai mis de côté seulement. J'ai de la difficulté à dire « jamais », à cause du temps qui dort dans ce mot.

Ninine et moi, nous partions souvent en quête de cadavres de soldats pour les détrousser de leurs précieux avoirs. Quand nous en découvrions, nous chapardions ce que les rats avaient laissé. Un jour où nous avions déniché deux cadavres et que nous étions en train de les déshabiller, j'avais éprouvé mon premier sentiment de jalousie en voyant Ninine observer avec curiosité les corps nus des deux hommes. J'étais pourtant demeuré imperturbable. Les corps avaient déjà été amputés de certaines parties ou creusés en certains endroits par les dents aiguisées des rats que nous avions chassés en arrivant, sauf un que nous avions tué pour le dîner. Des soldats, nous avions tout conservé : bottes, ceintures, uniformes noirs faits comme des survêtements d'une pièce, casquettes, gants légers, gibecières et boussoles. Ces vêtements avaient été les premiers de notre collection poursuivie par la suite. Plus tard, nous en trouvâmes de l'autre armée, de couleur grise, dans les décombres de la ville. Parfois, il fallait que tante Lanoline les raccommode un peu, à cause des rats qui se font la dent sur n'importe quoi et qui n'ont pas de goût, comme on dit. Ainsi nous avions trouvé des survêtements des deux armées pour chacun des membres de notre famille. Nous avions aussi fait main basse sur toutes les armes disponibles près des cadavres. Nous possédions des carabines à baïonnettes, des revolvers, des chargeurs pleins de cartouches, quelques grenades explosives et d'autres lacrymogènes, du cyanure en capsules et des masques à gaz. Pour compléter l'arsenal, nous avions aussi trouvé des boîtes de conserve que nous entreposions dans l'abri.

Ainsi, à la fin de cette année, nous avions amassé suffisamment de matériel pour que notre projet soit mis à exécution. Il faisait plus froid de jour en jour, et Zop et Zin ne ressemblaient plus à rien de vivant. Groube se raidissait souvent, pris de convulsions. Tante Lanoline n'y pouvait rien. Même la baise d'amour ne parvenait pas à le calmer. Il devenait fou lentement. L'angoisse le poussait à fixer le sol terreux et poussiéreux de l'abri pendant des journées entières. Ninine et moi n'en pouvions plus de voir mourir sous nos yeux ce gros balourd qui ne comprenait pas ce qui lui arrivait. Souvent, il pleurait dans les bras de Lanoline ou dans ceux de Ninine et il réclamait son père et sa mère qui, contrairement à ce que nous croyions, n'étaient pas disparus de sa mémoire. Faut dire qu'il régressait et que c'était normal qu'il recouvre la mémoire. Mais comme ses parents étaient morts depuis un bon bout de temps et que c'était irréversible, comme nous l'avait appris tante Lanoline depuis longtemps, il ne retrouverait rien d'autre que sa mémoire et il deviendrait encore plus malheureux parce qu'elle serait alors comme vide. Quant à Ninine et moi, nous étions plus heureux qu'eux à cause de notre espoir de vie ailleurs. Mais de les voir tous en train de prendre racine dans la folie et le désespoir, et bientôt dans la mort, ça nous rendait aussi malheureux qu'eux. Finalement nous étions semblables.

Un soir, nous demandâmes donc à tante Lanoline de nous suivre dans un coin de l'abri. Elle était toujours aussi belle, malgré le bleuissement de sa peau dû au froid. Nous la fîmes asseoir près de nous.

— On se les gèle trop ! lui chuchotai-je, en la regardant doucement.

— Et Groube va mourir ratatiné dans ses frissons, si ça continue ! rajouta Ninine, qui observait son frère recroquevillé par terre à l'autre extrémité de l'abri.

— Je sais, les enfants ! Mais on ne peut pas faire de feu, sinon ils vont nous trouver et nous tuer ! nous répondit tante Lanoline, avec le semblant de persuasion qui lui restait encore. Elle aussi commençait à hésiter entre vivre et mourir. Je respirai profondément, à cause de l'instinct de vie et à cause de l'exaspération qui passait par là en ce moment.

— On se les gèle et si on reste ici, on va se les geler toujours plus. Jusqu'à ce qu'on devienne des cailloux. Mieux vaudrait alors mourir réchauffés par un feu que mourir de froid ! lui dis-je en surveillant mon style. Il fallait que je lui fasse de l'effet, parce que dans l'état de consternation qui était le sien elle ne réagissait guère depuis quelques semaines.

— Tu sais, tante Lanoline, tu nous as tout appris, les mots, les formes, les sentiments, le passé, l'amour entre nous. Nous t'avons écoutée, nous avons dessiné par terre, nous avons tenté de deviner à quoi ressemblait le monde, le passé, nous avons survécu, nous avons souffert. Maintenant nous voulons connaître ce qui existe ailleurs, si on peut s'y réchauffer, s'il est possible d'y vivre. Nous désirons savoir s'il n'y a qu'une seule ville dévastée, sans animaux ni humains, sans soleil ni nourriture, nous voulons savoir s'il existe d'autres villes sur la planète. Nous voulons courir au soleil dans l'herbe mouillée du matin, avec des zèbres et des singes, grimper à des arbres et manger des fruits, voir des livres et le monde tel qu'il était, tel qu'il existe peut-être encore ailleurs. Nous voulons vivre et... et... et..., avait enchaîné Ninine dans un seul souffle très long, avant de se faire couper la parole par un sanglot monté de sa gorge et immobilisé juste derrière ce qui aurait pu être une pomme d'Adam si elle en avait possédé une.

— Mais où voulez-vous aller ? Où pensez-vous qu'on puisse se rendre ? Nous sommes nés ici ! Nous n'en sommes jamais sortis ! Tout ce que je connais vraiment, c'est ce que j'ai vu dans cette ville ! Le reste, ce que je vous ai appris, on me l'avait enseigné comme cela à moi aussi ! Le reste, je l'ai imaginé avec mes pauvres souvenirs. Le reste ? Je ne l'ai jamais connu ! Ça n'existe plus ! répliqua tante Lanoline en prenant sa tête entre ses mains. Elle n'avait même plus assez de force pour pleurer. Je l'entourai de mes bras pour la calmer et je lui parlai tout doucement.

— Essaie d'imaginer ce que nous pourrions faire, tante Lanoline, et ça au moins, ça existera. Si on dit à Groube que nous partons, ses crises cesseront. Toi, tu pourras nous apprendre encore une foule de choses sur ce que nous devons faire ou ne pas faire, sur les pièges à éviter. Zop et Zin nous suivront comme ils l'ont toujours fait. Ils se sentiront peut-être revivre dans leurs souvenirs et ils en ont encore beaucoup. T'as qu'à les regarder agir !

— Ainsi, vous voulez partir d'ici ? répliqua Lanoline qui semblait enfin avoir compris.

— Oui ! Et tous ensemble ! renchérit Ninine.

— Si j'ai recousu certains uniformes, si je les ai réparés, c'était uniquement pour nous protéger du froid et dans le but de nous faire passer pour des soldats s'ils venaient à nous repérer.

Pas une seule minute je n'ai songé à quitter la ville ! expliqua Lanoline. Elle semblait réfléchir, les yeux rivés au plafond de l'abri qui laissait pendre de son ventre éclaté un bric-à-brac de matériaux enchevêtrés.

— T'as travaillé pour toute la famille ! C'est extraordinaire, tante Lanoline ! Sans ton aide, personne ne serait prêt à entreprendre le voyage ! Cesse de fixer le plafond et regarde plutôt les stocks que nous avons accumulés pour notre expédition ! lui montrai-je du bout du nez. Derrière un tas imposant de débris, nous avions disposé avec un certain ordre tout le matériel accumulé. Lanoline s'était alors légèrement avancée pour se faire une idée de notre richesse commune.

Nous avions donc convaincu tante Lanoline de l'espoir de découvrir un monde différent. Restait à organiser les derniers préparatifs, à nous faire une idée plus juste de la direction à prendre en sortant, à nous familiariser avec le maniement des armes. Pendant les derniers jours qui précédèrent notre départ, nous avions décidé d'entamer quelques boîtes de conserve pour varier notre menu et acquérir des forces qui seraient vitales pour le succès de notre projet. Nous abandonnâmes le rat pour des légumes et des fruits. Il y avait aussi de la viande. De découvrir cela m'avait encouragé à croire qu'il existait peut-être encore des produits qu'on pouvait mettre en conserve. De la vie, quoi ! Je n'osais pas imaginer que ces produits n'existaient plus que sous cette forme, entre les parois de métal d'un contenant depuis plusieurs années. Ninine, Groube, moi et même tante Lanoline, nous apprenions des goûts nouveaux. Nous pouvions voir et toucher le mot tomate, le mot asperge, le mot haricot, le mot poire et combien d'autres sons si doux au palais, si je puis dire.

La nuit s'était écrasée blanche comme une toile d'araignée sur l'abri et sur la fin de l'année. Cela nous avait conduits à un sommeil profond. Cette année se terminait le soir même et, le lendemain, nous partions à la poursuite de la vie ailleurs.

Jour 16

Je vis l'aube se lever avec son vent de poussières blanches qui s'affolaient dans la ville en ce début d'année 0069. On ne distinguait rien à plus d'un trou du nôtre. L'équivalent d'une maison. Nous avions décidé de nous diriger soit à l'est, soit à l'ouest. De cette façon, nous éviterions les ennemis du nord et du sud. Nous nous trouverions constamment piégés entre les deux armées qui s'affrontaient possiblement encore, mais nous aurions ainsi la chance de pouvoir nous confondre plus facilement si nous étions repérés. Quant à savoir s'il existait de la réalité comme nous souhaitions en rencontrer dans les deux directions qui s'offraient à nous, il était impossible d'en obtenir l'assurance. Nous observâmes la température et, comme le vent soufflait de l'est, nous décidâmes d'en profiter pour diriger nos pas vers l'ouest. Nous aurions le vent dans le dos et tante Lanoline nous avait déjà dit qu'il faisait autrefois traditionnellement plus chaud dans cette direction.

Un froid glacial nous attendait ce matin-là, surtout à cause du vent qui mordait la peau dès qu'on se retournait pour regarder derrière. Nous avions revêtu les deux survêtements militaires, le noir par-dessus le gris. Chacun portait sa gibecière remplie de boîtes de conserve. À part Zop et Zin, nous portions aussi des armes et nos poches étaient alourdies de munitions. Groube avait repris du poil de la bête traquée en lui. Il semblait hardi et heureux de quitter l'abri. Zop marmonnait entre ses lèvres et Zin le suivait avec un large sourire qui lui fendait le visage. Avec une main, elle agrippa la ceinture de ce dernier pour le suivre. Ses cheveux blancs dépassaient de son casque. Nous avions placé Zop et Zin entre nous et Groube, qui fermait la marche avec tante Lanoline. On ne pouvait pas dire que c'était le bonheur dans le groupe, mais il y avait tout de même de la joie en nous à cause des espoirs entretenus. Je regardais marcher Ninine, autrefois légère, svelte, sans d'autre poids sur les épaules que celui du nécessaire. À mon avis c'était déjà trop comme charge obligatoire, mais aujourd'hui, en plus, il fallait ajouter des armes et un peu de nourriture au quotidien. Nous avions convenu de n'utiliser les carabines qu'en tout dernier recours et nous souhaitions surtout ne pas avoir à nous en servir. Ça me faisait drôle de voir notre troupe ainsi affublée. Je n'aimais pas l'idée de devoir tuer, non plus celle que Ninine doive possiblement poser ce geste. Nous n'avions joué qu'aux camions de pompiers durant notre enfance, jusqu'au jour où les deux soldats avaient attaqué ma mère. Et nous conservions de la mort des deux combattants un souvenir douloureux. Nous n'avions fait que nous défendre, mais d'entendre leur crâne craquer et de voir les yeux exorbités des deux hommes morts nous avaient à tout jamais éloignés du goût de tuer.

Nous étions sortis de l'abri, de la maison, du trou et nous nous étions dirigés droit devant, sans nous retourner pour jeter un dernier regard, « un regard d'adieu » selon les mots de tante Lanoline qui, elle, avait jeté un coup d'œil dans lequel s'était reflétée pendant longtemps l'image de la maison encore debout. L'image du passé. Ce passé, Ninine, Groube et moi, nous n'en avions guère eu ou on nous en avait trop donné. Ce n'était pas derrière nous que nous devions trouver l'objet de notre quête, mais devant nous.

Pour nous guider vers l'ouest, nous lisions les indications que la boussole livrait. Tante Lanoline demeurait la spécialiste de l'orientation dans cet univers de poussière blanche. Elle nous ramenait souvent dans la bonne direction. Nous traversions parfois des champs magnétiques localisés qui influençaient l'aiguille et lui faisait perdre la tête. Alors tante Lanoline scrutait le paysage et, avec l'aide de Groube et de son instinct plus fort que son intelligence, elle nous réorientait. Le décor sinistre dans lequel nous évoluions offrait invariablement les mêmes images en noir et blanc : des ruines, des murs presque tous effondrés en entier, des trous et des buttes qui se succédaient comme dans un ordre naturel, ordre naturel dominé par la présence des rats qui étaient parfois si nombreux qu'ils nous attaquaient. Groube se chargeait d'eux à chaque fois. Il faisait alors voler la crosse de sa carabine dans le tas et laissait sur le terrain plusieurs rats blessés presque aussitôt achevés par leurs congénères. D'autres rongeurs affluaient alors et, en nous éloignant, nous entendions les cris perçants de ceux qui se faisaient dévorer et des autres qui se battaient pour participer au repas. Au bout de quelques jours de marche, ce spectacle nous avait enlevé le goût de nous nourrir de ces bêtes. Nous avions donc commencé à rationner les boîtes de conserve. Nous dormions le moins possible pour progresser plus rapidement. Zop bredouillait à qui mieux mieux, Zin rigolait en silence parce que les forces lui manquaient pour la voix et ses éclats. Ninine prenait souvent la main de son frère. Elle pouvait ainsi vérifier si tout allait bien chez lui et lui prodiguer des encouragements en lui disant que nous avions bien besoin de lui, ce qui était d'ailleurs la pure vérité. Alors il souriait et on pouvait voir passer quelques camions de pompiers dans les étincelles de son regard. Depuis le départ, la vie s'était rallumée en lui et le désespoir qui lui sortait par tout le corps semblait s'être éteint.

Un soir que nous étions terrés dans un trou parmi des débris pour nous camoufler, Ninine m'entretint du vague sentiment de découragement qui s'immiscait en nous. Il était vrai que depuis notre départ rien n'avait changé dans le décor.

— Bim ! Ça fait des semaines et des semaines que nous marchons ! Nous n'avons trouvé aucune nouvelle réalité. Tout est semblable ! me chuchota-t-elle à l'oreille pour éviter que les autres entendent.

— Je sais, Ninine ! Que veux-tu faire de plus que de marcher encore et peut-être parvenir à… enfin ! Quelque part ! lui répondis-je sans terminer ma phrase. Je prenais moi aussi conscience que notre but demeurait tellement hypothétique qu'il ne fallait pas y croire au départ, sinon nous risquions la désillusion très tôt.

— On ne peut pas y arriver parce qu'il n'existe probablement plus rien d'autre que ce que nous voyons depuis toujours ! Elle m'observait de son regard vert jade, tentant de détecter sur mon visage le désespoir qui commençait à la faire douter de notre entreprise.

— Écoute, Ninine ! On n'a rien à perdre. On ne devrait plus croire qu'on va parvenir quelque part où ce sera différent d'ici. N'y croyons plus ! Ne croyons plus en rien ! Voilà ! lui rétorquai-je.

— Mais ça fait des semaines ! tenta-t-elle de continuer. Aussitôt, je la coupai dans son propos.

— Ça ne me dit rien des semaines ! D'autres semaines, ça ne me dit rien non plus ! Le temps, c'est quoi pour toi ? l'interrompis-je, l'air exaspéré, mais déterminé.

— Ben ça me dit rien à moi non plus, Bim ! Mais c'est long !

— Ç'aurait été plus court chez nous, tu crois ? Ici, c'est comme chez nous ! Les mêmes trous, la même poussière ! Mais c'est plus court ici, parce qu'on n'y reste pas. On n'est pas forcés de tourner en rond ! lui expliquai-je d'un ton plus dur.

— Mais on tourne peut-être en rond dans le paysage autour de nous, parce qu'il finit peut-être jamais, ce décor ! Peut-être qu'on tourne autour de la ville, sans plus ! me répliqua Ninine en se renfrognant un peu. Elle adoptait encore à l'occasion des comportements d'enfant. Mais à bien y penser, je faisais de même en d'autres circonstances. Aussi je me radoucis un peu.

— Mais on s'en va vers l'ouest en ligne droite. Une ligne droite, ça s'arrête pas si on veut. T'as raison de dire que c'est pareil ici, mais je préfère continuer pour voir si ailleurs, c'est exactement la même chose ! ajoutai-je.

— Alors je ferai comme toi ! Je vais me forcer pour ne plus croire en rien ! Comme ça, le temps va passer plus vite sur la ligne droite. Je ne regarderai pas plus loin que le bout de mes pieds ! me murmura-t-elle en m'embrassant.

Nous nous sentions parfaitement ridicules. Mais c'était toujours ça de pris. Dans de telles circonstances, il nous fallait sentir quelque chose. En dehors du sentiment n'existaient que la poussière blanche et les ruines. Alors pour nous distraire un peu, nous tentions d'adopter un comportement d'adulte : nous nous engueulions ainsi à l'occasion. Ça faisait relâcher la tension. Nous devenions les deux protagonistes et imitions, au début, Zop et Zin. Mais il avait vite fallu convenir que nous régressions loin en bas de notre âge avec eux. Nous nous étions rabattus sur tante Lanoline ou sur le souvenir des conversations de nos parents lorsque nous revenaient quelques bribes des répliques entendues. Le reste, nous l'inventions parce que ça nous faisait vivre partout dans le thorax et dans la tête. Un peu plus tard, nous avons fait alterner nos imitations entre celles de l'enfance et celles du monde adulte. Nous nous inspirions donc de Zop et de Zin pour les enfants, de Lanoline et autres souvenirs pour les adultes, et de nous-mêmes pour l'adolescence. Parfois, j'imitais Ninine et elle m'imitait, moi. Nous avons vite délaissé cette activité pour l'âge intermédiaire, puisque ça se terminait toujours par une vraie querelle.

La plupart du temps nous avions le vent dans le dos et il nous poussait vers des contrées inconnues parce que semblables à celles d'où nous venions. Nous méconnaissions tout du passé, du présent et de l'avenir.

Jour 17

Malgré mes seize ans, j'étais imberbe. Malgré ses seize ans, Ninine avait les cheveux blancs. Si ma pilosité éprouvait des problèmes de maturation tardive, celle de Ninine rencontrait des problèmes de maturité précoce. Son crâne était recouvert d'une chevelure de la même couleur que celle de Zin. Les cheveux de Ninine avaient vieilli prématurément, mais en apparence seulement, car ils demeuraient soyeux, longs et denses. Je n'avais toujours pas de poils au bas du ventre alors que Groube en était tapissé. Faut dire qu'il était costaud le Groube. Ce qu'il avait perdu de ses souvenirs, de son passé, de lui-même, s'était répandu dans ses muscles et, à le regarder, on pouvait comprendre qu'il en avait perdu beaucoup des idées. Tante Lanoline affirmait que la poussière blanche était responsable des développements anarchiques de nos organismes. Mais que c'était maintenant l'ordre naturel des choses. Et que les filles parvenaient plus rapidement à maturité que les garçons. J'écoutais ses explications sans trop comprendre, parce que ça ne me paraissait pas évident du tout. Il est vrai que Ninine, en plus des cheveux à maturité précoce, avait développé depuis quelque temps une poitrine que je pouvais deviner même sous son survêtement militaire. Elle esquissait un sourire gêné lorsqu'elle surprenait mon regard posé sur ses seins. Lors de nos haltes dans des trous repérés pour y passer la nuit, elle passait de longs moments à échanger des propos à voix basse avec tante Lanoline. À l'occasion, elle prenait même ses distances quand je me trouvais en sa compagnie. Souvent, elle demandait à tante Lanoline de l'accompagner dehors et je ne devais évidemment pas la suivre. « Tu ne me seras d'aucune aide. Reste avec Groube pour jouer aux devinettes et surveiller Zin et Zop ! » Comme la vie n'était qu'une vaste devinette pour nous, je répétais souvent les mêmes.

— Groube ! Où sommes-nous ?

— Je ne sais pas.

— Où allons-nous ?

— Aucune idée !

— D'où venons-nous, Groube ?

— Je donne ma langue aux rats !

Groube n'était pas fort au jeu des devinettes. Depuis notre départ, il vivait heureux sans savoir pourquoi et ça lui convenait parfaitement. Il s'était remis de sa dépression passagère. Si Groube était heureux, je l'étais aussi. Mais si Ninine me boudait — c'était l'interprétaion que je faisais de la distance qu'elle mettait entre nous occasionnellement — je boudais aussi. Un soir, tante Lanoline vint nous rejoindre dans le coin de la cave que nous avions dénichée pour nous mettre à l'abri d'une tempête de poussière. Elle s'approcha de Ninine et de moi. Aussitôt, Ninine se râcla la gorge. Je sentais qu'elle était au courant de ce dont Lanoline m'entretiendrait.

— Bim, mon grand, il faut que tu saches que tu as vieilli ! commença ainsi tante Lanoline. Du coup, je portai la main sous mon menton. Je ne comprenais rien à ses propos puisque je ne trouvai aucun poil sur mon visage.

— Ah bon ! lui dis-je, l'air étonné.

— Ninine aussi a vieilli, tu sais. Elle est devenue une petite femme et toi un petit homme ! continua-t-elle, pendant que je comprenais de moins en moins.

— Ah bon ! fis-je.

— Même que je croyais que vous vieilliriez plus vite que cela ! Mais c'est un retard probablement dû à l'ordre naturel des choses. C'est pas grave, l'important c'est qu'on y arrive ! me servit-elle d'un ton anodin. Pendant qu'elle parlait, je la regardais attentivement et je constatais combien elle avait toujours été jolie, charmante.

— Donc, c'est rien de grave ! rajoutai-je naïvement.

— Mais non ! Seulement, il vous faudra être prudents à l'avenir. Toi et Ninine, vous vous aimez beaucoup, n'est-ce pas ? me demanda-t-elle doucement.

— Bien sûr ! lui répondis-je aussitôt pendant que Ninine se trémoussait d'aise sur ses fesses et me jetait des regards anormalement brillants, pétillants, des regards de camions de pompiers, différents, que je ne lui connaissais pas à ce jour. Visiblement, elle était au courant de tout, la Ninine. Et moi de rien du tout !

— Eh bien ! tu vois, mon Bim, comme les filles vieillissent un peu plus rapidement que les garçons, Ninine sait des choses sur le corps que tu ne devines pas encore ! me dit-elle, alors que moi je commençais à me demander pourquoi Ninine ne m'avait pas parlé de ces choses, nous qui partagions presque toujours le moindre secret. Je compris que j'avais eu raison de sentir en moi une inquiétude quant à la distance que Ninine mettait parfois entre nous. Quand je la regardai, elle sembla gênée. Je crois qu'elle craignait un peu ma réaction. Elle devait redouter que je ne songe à une trahison de sa part. Mais je l'aimais trop pour douter d'elle.

— Bon ! Et alors ! rétorquai-je un peu sèchement, fatigué du mystère.

— Je te demande de faire confiance à Ninine, de suivre ses recommandations. Elle t'expliquera toutes sortes de choses, tranquillement, au fil des jours. Vous apprendrez à deux à vieillir en amour. Et à cause de l'ordre naturel des choses qui règne maintenant, il faut être patients et prudents. Je voulais que Ninine soit au courant, Bim, au cas où je mourrais. Je lui ai appris ce que les femmes doivent savoir. Bien entendu, je pourrai répondre aux questions que vous vous posez parfois ! conclut-elle, au moment où, un peu impatient, je lui posai justement la première question.

— C'est quoi, vieillir en amour ?

Tante Lanoline se releva et retourna dans son coin après nous avoir fait un clin d'œil. Ninine baissa les yeux légèrement.

Je compris que je devrais demander tout le reste à Ninine et que si nous étions patients, nous vieillirions en amour ensemble. Je devinais que cela avait un rapport avec ce que Groube et tante Lanoline se faisaient parfois le soir. J'avais souvent essayé de mettre mes mains sur les endroits cachés du corps de Ninine qui avait refusé à chaque fois. Elle devrait maintenant m'expliquer tout cela. Je n'aimais guère ma position dans cette situation. Cela m'agaçait vaguement. J'avais l'impression de jouer le mauvais rôle : celui de celui qui doit subir le pouvoir de celle qui a obtenu le bon rôle parce qu'elle sait ce que l'autre ignore. Je me dis que l'amour entre nous ne pouvait pas être plus compliqué qu'il ne l'était entre Groube et tante Lanoline. Ainsi ils s'aimaient bien, ne se disputaient jamais et dormaient ensemble. Quand ils voulaient se frôler, Groube s'approchait de tante Lanoline ou elle de lui, ils se sentaient, se humaient tout en passant leur langue sur les lèvres de l'autre. Ils se relevaient alors et se dirigeaient rapidement vers un coin isolé. Là, ils se frottaient mutuellement sur tout le corps en gémissant, et ça se terminait invariablement par des cris ou des hoquets ou des halètements ou encore des geignements, des plaintes longues venues du fond de voix rocailleuses. Souvent, nous avions l'occasion de les voir agir, puisqu'ils ne trouvaient pas toujours le coin idéal pour se cacher. Alors je lorgnais de mes deux yeux vers la pénombre où s'agitaient les deux corps. Donc et bref, ils s'aimaient.

Un soir, c'était Groube qui s'approchait de Lanoline assise dans un coin. Il commençait à lui lécher le cou, descendait sa grosse langue le long de la colonne vertébrale, continuait sur les cuisses vers le genou, puis revenait par l'intérieur des cuisses en s'attardant un peu le nez dans le poil de tante Lanoline qui commençait à respirer en saccades. Il remontait alors vers le nombril, toujours avec la langue, puis entre les seins desquels il faisait le tour avant de parvenir sous le menton. Enfin, il pénétrait à l'intérieur de la bouche de tante Lanoline avec cette langue en même temps qu'il appuyait son bassin sur le sien pour la soulever et la prendre sur lui. D'autres fois, c'était elle qui jouait à la langue. De fait, ils s'amusaient souvent à ce jeu auquel je n'avais toujours pas eu droit avec Ninine. Il faut bien le dire, notre âge ainsi que l'ordre naturel des choses contribuaient à nous faire patienter. Je comprenais qu'il pouvait y avoir des conséquences à jouer. C'est ce que Ninine devrait m'apprendre.

L'année se passa finalement ainsi : marcher, parler, réfléchir, aimer et patienter. Cependant, plus nous progressions depuis quelque temps, plus le paysage et les conditions se modifiaient. Il faisait toujours plus chaud sans pour autant qu'on voie le soleil. Par contre, l'épaisseur de la couche de poussière blanche qui recouvrait toute chose par terre avait tellement augmenté que nous avions maintenant peine à avancer. Il était devenu presque impossible de repérer à l'œil nu les anfractuosités du terrain. La surface de la terre tendait à devenir sans relief. Nous devions nous guider en piquant le sol avec des bâtons pour nous assurer de ne pas tomber dans des trous parfois gigantesques qui farcissaient l'intérieur du sol. Nous avions utilisé des morceaux de bois trouvés plus tôt pour fabriquer, sur les conseils de tante Lanoline, deux chaises rudimentaires et les installer sur des sortes de skis. Zop et Zin, qui nous retardaient constamment à cause de l'épaisseur de la couche de poussière, se retrouvèrent vite confinés au traîneau et, dès ce jour, nous pûmes progresser plus rapidement. Avec toute cette poussière, il était aussi devenu difficile de repérer des endroits pour y passer la nuit. Comme la température s'avérait de plus en plus clémente, nous couchions souvent dehors, « à la belle étoile » comme disait souvent tante Lanoline qui nous expliquait alors ce qu'étaient des étoiles, puisque nous n'en avions jamais vues. D'ailleurs, elle-même se souvenait beaucoup plus de l'expression verbale que des étoiles, qui avaient été cachées dans le ciel alors qu'elle était encore toute jeune.

Tante Lanoline affirmait que l'endroit où nous nous trouvions maintenant avait été recouvert de la couche blanche de poussière depuis beaucoup plus longtemps que ce n'était le cas pour notre ville d'origine. L'épaisseur de la couche indiquait qu'un certain temps était requis pour en arriver à cette accumulation. Lanoline émettait parfois des doutes sur nos chances de trouver de la vie dans cette direction. Depuis notre départ, en deux années, nous n'avions aperçu aucun soldat ni aucune autre personne d'ailleurs. Une seule fois, nous avions entendu un avion qui semblait perdu et qui s'était écrasé au loin, probablement à court de carburant, déboussolé à cause des champs magnétiques divers qui s'affrontaient ici. Tante Lanoline croyait que nous nous dirigions vers le lieu du début, vers l'endroit où tout avait commencé, vers ce lieu touché le premier par tous les changements survenus sur la planète depuis fort longtemps.

J'ignorais la distance que nous avions parcourue, mais elle devait être importante puisque notre rythme de marche demeurait soutenu depuis notre départ et qu'aucun problème véritablement ennuyeux ne s'était posé. À chaque fois que nous avions hésité quant au chemin à suivre, après de brèves discussions, nous avions toujours décidé ensemble de continuer dans la même direction. Même en supposant que certaines parties du monde aient été désertées complètement, peut-être était-il préférable de vivre seuls, loin de tout ou de rien, que de retourner là où les combattants tuaient tous les habitants qui survivaient à leur guerre de bombardements. Peut-être notre ville était-elle aujourd'hui complètement ensevelie sous la poussière ou morte dans le froid glacial qui nous l'avait fait quitter ? Il n'était donc pas question de faire demi-tour et nous continuions à poser presque inconsciemment un pied en avant de l'autre, tout comme nous respirions sans nous en rendre compte. Zop gueulait après nous comme si nous avions été des rats et Zin rigolait un bon coup à chaque fois en se tapant sur les cuisses. Il m'arrivait de craindre qu'elle ne se brise en mille morceaux lorsqu'elle se frappait ainsi. Je cessais de m'inquiéter en me convainquant qu'elle connaissait son propre destin. Elle était sa propre vie et sa propre mort. De toute façon, je demeurais assuré qu'elle mourrait en riant. Et que Zop trépasserait en engueulant tout le monde, c'est-à-dire nous, à cause du peu de monde qu'il restait.

Jour 18

Depuis cette année, il faisait encore un peu plus chaud. Il faut dire que nous nous étions beaucoup déplacés. « Le paysage est polaire », comme le disait tante Lanoline, qui n'avait jamais mis les pieds au pôle, mais qui avait conservé le souvenir de ces étendues de glace dont elle avait vu des photographies quand elle était toute jeune. « Il fait chaud dans un endroit à vous glacer le sang. C'est le monde à l'envers ! » se plaisait-elle à répéter ponctuellement. C'était un peu sa manière à elle de dire l'heure.

Le temps nous échappait sans qu'on puisse savoir à quelle vitesse il se dérobait. Nous n'avions ni montre, ni horloge. De toute façon, elles n'auraient pas fonctionné à cause des champs magnétiques. Peu à peu, nous avons oublié les dates, les jours, les mois, les années. Les avions-nous déjà réellement sus ? Là où nous étions parvenus, le temps se contractait parfois si fortement que nous avions l'impression d'être aplatis par l'air ambiant, par une force invisible. Notre corps se pressait contre lui-même comme s'il voulait s'avaler. D'autres fois, le temps se dilatait complètement. Cela nous donnait mal au cœur, avec l'envie chez chacun de se vomir personnellement hors de lui-même. Le temps devenait trop lourd pour demeurer supportable. Nous avions l'impression de nous dissoudre physiquement. Je me sentais alors comme une immense gelée qui fondait lentement dans la poussière et qui se mêlait à l'ordre naturel des choses. Au bout d'un moment, après avoir été immobilisés brièvement par les contractions ou les dilatations du temps, le malaise passait et nous repartions. C'étaient les seules et rares fois où Zop et Zin se taisaient complètement.

Plus nous progressions, plus nous avions l'impression d'être les uniques survivants d'un dégât gigantesque. Mais lequel ? Qu'était-il arrivé depuis si longtemps sur la planète ? Nous n'avions rencontré personne de vivant depuis le début de notre expédition, mis à part quelques soldats qui nous avaient frôlés sans le savoir, bien cachés comme nous l'étions. Et depuis maintenant plusieurs mois, sinon quelques années, nous n'avions rencontré personne, ni même des soldats. Ils semblaient s'être volatilisés complètement à la fin. L'endroit que nous parcourions était inhabité. C'était devenu un désert tout blanc. Sous la poussière se trouvaient les ruines de villes et de campagnes inconnues. Ruines mortes, vides, qui ne parlaient pas, dans lesquelles on trouvait, en fouillant pendant de longues heures, un peu de quoi manger. Dans les décombres, quelques squelettes bâillaient comme c'est pas permis de le faire quand on est morts et qu'on ne doit plus bouger. Depuis longtemps, devant autant d'absence, nous avions abandonné nos armes et nos munitions qui nous alourdissaient inutilement et nous ralentissaient dans notre progression vers l'espoir. Ce dernier s'amenuisait d'ailleurs au fur et à mesure que nous cheminions sans le trouver vers ce que nous avions imaginé encore possible : une autre réalité.

Groube et tante Lanoline persistaient dans leurs ébats nocturnes tandis que Zop et Zin devenaient lentement des êtres silencieux. Ils parlaient moins et avaient beaucoup maigri. Leur physionomie changeait sans qu'on sache à quoi cela était dû. Je les avais surpris quelques fois la main dans la main. Ils regardaient droit devant eux, se laissant glisser sur le traîneau, le regard perdu dans la blancheur presque immaculée de l'atmosphère et ils semblaient se rassurer l'un l'autre en se tapotant doucement les doigts. Ils avaient peut-être retrouvé des souvenirs lointains à cause de certains effets inconnus de la dilatation et de la contraction du temps. Grâce à cela aussi, peut-être avaient-ils pris conscience qu'ils étaient centenaires et plus. Même tante Lanoline ne se rappelait plus leur âge. Quant à Ninine, elle se faisait à la fois distante et amoureuse. Parfois pendant la nuit, elle me tournait carrément le dos et refusait que nous nous enlacions pour dormir jusqu'à l'aube. D'autres fois, elle prenait ma main qu'elle guidait jusqu'à la fermeture éclair de son survêtement. Elle faisait descendre cette dernière et glissait mes paumes jusque sur ses seins. Je réapprenais l'espoir en général au contact de sa peau douce en touchant les rondeurs de sa poitrine et ses mamelons brûlants. Au bout de quelques minutes, elle reconduisait mes mains hors de son survêtement. « Nous venons de vieillir en amour, Bim ! » me murmurait-elle en ces moments. Certains soirs, elle parlait plus longuement : « Je t'aime, Bim ! Tu n'as pas tout vu encore. Moi non plus d'ailleurs ! Mais il faut être prudents à cause de l'ordre naturel des choses. Lentement nous apprenons nos corps. Il faut de la patience. Parfois tu peux me toucher, d'autres fois c'est mieux pas ! Tante Lanoline m'a expliqué. Ça me gêne un peu de t'en parler. Mais graduellement je te dirai tout et nous vieillirons en amour ensemble ! »

Je faisais confiance à Ninine. Je savais qu'elle me dirait tout à propos de l'amour, mais en plaçant les bons mots aux bons endroits dans sa phrase, en prenant le temps nécessaire pour éviter de faire vieillir trop vite l'amour que nous partagions depuis que nous étions tout jeunes.

Cette année-là, si c'en était une, nous avons avancé très vite. Avec Zop et Zin sur le traîneau, sans le poids des armes et le froid qui nous épuisaient rapidement, nous devions être parvenus au bout du monde, sinon à la limite d'un monde. Cette année-là, nous avons aperçu ce que depuis fort longtemps nous n'avions pas vu : des rats. Au début, ils se faisaient rares. « S'il y a des rats, il y a de la vie ! » avait dit tante Lanoline. Ce à quoi j'avais répliqué en lui expliquant que nous venions d'une vie et d'une ville remplies de rats, que nous avions quittées pour trouver autre chose et que cette vie-là ne m'intéressait pas. Mais elle soutenait qu'il fallait trouver l'endroit d'où provenaient les rats, que nous n'avions encore rien à perdre et que si c'était semblablc à ce que nous avions connu, il ne nous resterait plus qu'à continuer ailleurs. Nous avons donc décidé de les observer et de mettre ensemble le cap sur la direction où ils nous conduisaient en se sauvant de nous. De toute façon, avec nos boussoles affolées, nous ne savions plus où nous nous dirigions. Pendant quelques jours, nous avons porté toute notre attention à surveiller les allées et venues des rats. Nous nous sommes déplacés jusqu'à ce que nous trouvions une plus forte concentration de ces bestioles.

Au bout de quelque temps, fatigués de les poursuivre en traînant Zop et Zin, nous avons décidé de bivouaquer pour pouvoir suivre à la trace certains rats afin qu'ils nous conduisent vers les lieux qu'ils habitaient. Un matin, alors que nous avions attaché Zop et Zin à leur traîneau, histoire qu'ils ne s'égarent pas, nous sommes partis à la recherche du refuge des rats. Tante Lanoline et Groube formaient une équipe, Ninine et moi, l'autre. Après quelques heures de recherches infructueuses, Ninine aperçut quelques rats que nous avons alors suivis discrètement. Ils avaient parcouru une courte distance lorsqu'ils disparurent sous terre. Puis d'autres vinrent qui entrèrent au même endroit. La poussière blanche formait une sorte de renflement juste à côté de leur entrée. Comme si les rats pénétraient sous un dôme immense. Cela ressemblait à une petite montagne qui aurait été déposée sur le sol. Ninine et moi, nous avons creusé sous la poussière pour trouver des morceaux de bois. Quand nous en eûmes découvert trois, nous les plantâmes debout dans la poussière afin qu'ils nous servent de repères. Puis nous sommes retournés au lieu de notre campement. Lanoline nous y attendait. Groube fouillait dans des ruines où il s'était glissé afin de trouver des conserves pour le souper. Après nous avoir dit qu'ils n'avaient rien vu qui soit susceptible de justifier la poursuite des recherches, ils nous avaient écoutés raconter ce que nous avions découvert. Ce n'était qu'un trou de rats bien sûr, mais qui semblait assez grand pour en accueillir une armée. De plus, nous en avions vu plusieurs y pénétrer. Et puis nous leur avons parlé de la forme du sol à cet endroit. Groube avait suggéré d'aller y jeter un coup d'œil, mais il se faisait tard et tante Lanoline avait alors proposé d'attendre le lendemain pour s'y rendre.

Dans la nuit qui suivit, une tempête de poussière blanche s'était levée. Groube avait dû creuser rapidement un trou assez grand pour nous contenir tous. Au bout de plusieurs jours, la tempête ne s'était toujours pas calmée. Groube et moi, nous avons alors commencé à creuser plus profondément pour trouver sous les décombres un abri plus grand et plus confortable. Après avoir enlevé une grande quantité de matériaux pêle-mêle, nous avons trouvé un abri qui nous permettrait de vivre là en attendant que les vents violents cessent. Nous nous y étions installés avec la conviction que les vents arrêteraient bientôt de souffler. Lanoline disait que cela se produisait peut-être à cause des avions qui sillonnaient d'autres cieux que les nôtres. À cause de ce qu'ils laissaient tomber, ils perturbaient tout. Si ce que nous avions connu dans notre ville constituait maintenant la réalité d'autres villes, cela avait sûrement des effets partout sur terre.

L'année passa sûrement avec la tempête, car celle-ci avait duré l'équivalent de ce que nous appelions des mois autrefois. Pendant ce temps, Ninine et moi en avons profité pour vieillir en amour ensemble. Tranquillement.

Jour 19

L'an 0072 s'était contracté et dilaté si souvent que nous ignorions s'il avait repris sa place dans le temps. Nous n'étions donc pas assurés de l'exactitude de la date de l'année. Mais comme il fallait que nous possédions une sorte de repère, même aléatoire, pour évaluer et nommer notre âge et celui de notre aventure, nous avons convenu que la tempête avait cessé en 0072. Peut-être ne s'était-il pas passé plus d'une journée de bourrasque. Mais pour nous, il s'était passé une année.

L'immobilisme que nous avions subi depuis le début de la tempête nous avait rendus maussades. Dans notre refuge, il n'y avait rien d'autre à faire que de creuser de petites galeries pour faire main basse sur des conserves, histoire de survivre. Bien sûr, Groube et tante Lanoline faisaient leurs exercices quotidiens sans manifester la moindre pudeur maintenant. J'avais beau ne pas regarder leur gymnastique, je les entendais « faire ». Je bandais et j'attendais toujours un signe de Ninine. Elle me regardait avec passion, car elle aussi semblait ressentir un certain trouble dans sa chair. Elle se rapprochait alors et, plus chastes que nos aînés, nous nous étendions sous des couvertures. Ninine me laissait la toucher partout maintenant. Et elle agissait de même avec moi. J'avais ainsi découvert l'entrée humide qu'elle m'avait longtemps cachée entre ses cuisses. Quand ça nous prenait de vieillir en amour, nous nous frottions partout jusqu'à ce que nous jouissions. Puis un jour j'en étais venu, emporté par mes élans passionnés, à monter sur Ninine qui ouvrit toutes grandes ses cuisses pour laisser y pénétrer mon membre. Ce jour-là nous avions connu, selon Ninine, le vrai vieillissement physique de l'amour. Elle se disait heureuse :

— Il faut accepter de vieillir, Bim ! Pour nous, maintenant, c'est fait. Et pour toujours. Je t'aime ! Je t'aime ! me répétait-elle de sa belle voix de dix-huit ans, chaude et pleine de musiques voluptueuses que je découvrais à peine.

— Si c'est ça, vieillir, ce n'est pas trop difficile ! lui avouai-je.

— Au contraire ! Oui, ce fut difficile ! Il nous a fallu attendre longtemps avant que ça arrive. Il a fallu être patients et ruser avec le temps ainsi qu'avec nous-mêmes ! me précisa-t-elle pour que nous n'oubliions jamais le passé et ce moment d'achèvement.

— C'est vrai ! Je n'y avais pas pensé. Ça a été long avant de pouvoir dire que nous avions vieilli. Tellement long que nous ne savons plus précisément notre âge ! lui dis-je pour abonder dans son sens, parce que je crois qu'elle avait raison. Mais Ninine disait tellement mieux que moi les choses de notre vie.

— Avec toutes ces dilatations et ces contractions du temps, on ne peut pas être certains de notre âge, mais on peut croire notre corps qui ne nous mentira pas ! Notre corps s'ajuste au temps ! rajouta-t-elle, l'air un peu sévère. Décidément, c'était sérieux de vieillir et d'aimer. Ça donnait à penser.

— Tu as raison, Ninine ! Les dilatations et les contractions du temps correspondent à nos propres dilatations et contractions lorsque nous faisons l'amour ! Nous sommes collés au temps, nous agissons tout comme lui, mais nous l'oublions ! lui dis-je, étonné de m'entendre parler ainsi.

— Bon ! Alors quand on s'aime, on vieillit ou on abolit le temps ? me lança-t-elle, un peu fâchée que j'aie raisonné plus rapidement qu'elle pour une fois. Je me rapprochai de son corps et lui donnai un bec dans le cou en lui disant que les leçons de tante Lanoline nous avaient toujours été utiles. Elle nous avait appris à penser, à raisonner, à observer et aussi à aimer.

Quand, un jour presque pareil aux autres, nous avons compris que nous pouvions sortir de notre abri, les vents étant tombés, la joie éclata parmi nous. Ce matin-là nous étions sortis de notre refuge avec l'idée bien arrêtée de nous rendre vers le trou de rats que nous avions découvert, Ninine et moi. Pour le retrouver, il fallait nous réorienter avec le plus de précision possible, car les pieux plantés pour nous signaler sa position géographique avaient sûrement été enterrés par les nuages de poussière blanche qui s'étaient abattus sur nous pendant l'année. Après avoir fait sortir Zop et Zin de l'abri pour qu'ils puissent prendre un peu l'air, façon de parler, nous avons décidé de les amener avec nous. Si on ne retrouvait pas le trou de rats, nous continuerions notre expédition vers l'espoir. Donc vers l'inconnu.

Dehors, nous en étions tous à chercher la direction à prendre lorsque Groube sortit de son sac une feuille sur laquelle il avait tracé, le lendemain même du début de la tempête, un croquis des plus rudimentaires qui représentait l'ouverture de notre abri par un X et, par un trait continu de crayon, la direction par laquelle nous étions revenus au campement, Ninine et moi. J'étais demeuré stupéfait que Groube ait pu songer à prendre note de ce détail. À cause de ses souvenirs en allés alors qu'il était très jeune, je ne le croyais pas capable d'avoir une telle idée. Mais Groube se connaissait et se méfiait de sa cervelle. Il ne lui faisait pas confiance. C'est pourquoi il avait recouru à ce moyen.

Nous étions partis dans la direction indiquée sur la feuille. Après une demi-heure de marche, nous n'avions toujours pas trouvé les repères de bois et nous n'avions vu aucun rat. Tante Lanoline disait que ce trou pouvait être important à cause du renflement du sol sis à proximité. « Si nous sommes vivants, d'autres le sont peut-être aussi ! » nous répétait-elle, comme pour entretenir de l'espoir. Nous tournions un peu en rond lorsque Zin éclata de rire à la vue de Zop qui était tombé dans la poussière blanche. Zin rigolait à s'en taper sur les cuisses, comme au bon vieux temps, pendant que Zop gueulait à en perdre le souffle. Les voyant agir de la sorte, j'en étais à me demander s'ils avaient recommencé ou avaient cessé de vieillir. Au moment où je relevais Zop de sa mauvaise posture, mon pied buta sur quelque chose de solide. Je vis au bout de la semelle de ma botte le bout de bois qui avait fait trébucher Zop. Autour du morceau, des éclats minuscules jonchaient le sol de poussière. Aussitôt j'avais crié aux autres. Sur le coup, Zop avait dû croire que nous avions le même âge parce que je gueulais aussi fort que lui.

Nous avons déterré le bout de bois et retrouvé l'entrée tant recherchée. À la force des bras, nous avons dégagé l'entrée des rats et nous découvrîmes un orifice très grand dans lequel nous pouvions nous glisser en marchant à quatre pattes. Aucun rat ne s'était encore manifesté et s'il y en avait encore là-dessous, ils devaient se compter par milliers puisque nous entendions maintenant l'écho de nos voix résonner au fond du trou qui devait être gigantesque. Après s'être attaché à une corde au cas où la pente soit trop accentuée dans l'entrée, Groube entreprit d'explorer ce lieu. Il s'était engagé lentement dans le tunnel, repoussant le plus loin possible le moment où il devrait frotter une allumette. Cela prit à peine deux ou trois minutes avant qu'il ne nous appelle, criant de joie pour que nous le rejoignions. « L'école ! L'école ! » hurlait-il. Aussitôt, nous nous étions engouffrés dans le tunnel sombre. Au bout de quelques secondes, la noirceur aurait été presque totale, n'eût été une vague lueur qui nous parvenait de ce qui paraissait être le bout du tunnel. Arrivés à côté de Groube qui nous attendait, nos yeux virent là un spectacle incroyable. Au bout du tunnel qui nous avait fait descendre doucement de quelques étages, s'ouvrait devant nous une pièce unique, immense, vaste comme dix grosses maisons rassemblées en une seule, éclairée par des génératrices à piles qui, sans doute, se rechargeaient en alternance les unes les autres. Le plafond de la pièce formait un dôme peint en bleu, ce qui expliquait le renflement que nous avions observé à la surface du sol avant la tempête. Nous avions découvert une gigantesque bibliothèque dont le bâtiment avait survécu aux bombardements et aux autres bouleversements. Des livres rangés sur des étagères tapissaient les murs tandis que d'autres étaient tombés et jonchaient le plancher. Sur le plafond bleu, on avait peint des nuages et un soleil jaune qui semblait illuminer la salle à jamais. Il y avait aussi des conserves en grande quantité rangées dans un coin. Parmi les livres, par terre, plusieurs squelettes étaient assis ou couchés. Leurs os ne s'étaient pas encore défaits et ils semblaient presque vivants.

Nous avions l'impression d'avoir réussi en partie notre expédition et trouvé de l'espoir. Ce que nous venions de découvrir ne représentait peut-être pas grand-chose, mais ce lieu paraissait habitable : il regorgeait de nourriture et l'air y était plus sain qu'au dehors. Il y avait des lits et nous entendions perler de l'eau en un endroit où on avait enlevé quelques planches du revêtement du sol. De plus, les rats avaient déserté l'endroit, sans qu'on ne sache cependant pour quelle raison. « C'est le paradis ! » hurla tante Lanoline en embrassant Groube avec frénésie. Zop était déjà à genoux et avait ouvert le premier livre qui lui était tombé sous la main. Zin ne riait plus. Elle essuyait des larmes qui coulaient sur ses joues et elle regardait le ciel comme si elle pouvait y contempler le bonheur. Moi, j'avais tout de suite pensé aux camions de pompiers en voyant les étincelles qui irradiaient des yeux de Ninine. Je sentais qu'on pourrait enfin se reposer ici. Nous pourrions peut-être comprendre ce qui s'était passé sur terre et ce qui nous attendait dans l'avenir ? Nous pourrions peut-être trouver ici l'ailleurs ?

Jour 20

La bibliothèque comptait une seule grande pièce qui débordait de livres de toutes sortes : romans, encyclopédies, livres utilitaires et scientifiques, dictionnaires, livres d'art, bref il y avait de tout. Nous avions passé l'année à aménager notre nouvelle maison et à nous raconter les histoires que nous trouvions dans les bouquins. Je m'étais particulièrement consacré à reclasser les livres dans un ordre qui nous permettrait de les retrouver facilement pour les consulter. C'est à force d'observer le classement partiel déjà effectué parmi un certain nombre d'ouvrages que je découvris comment procéder. Je comprenais que le monde avait déjà été organisé selon un ordre très précis, que les connaissances se rangeaient selon l'ordre alphabétique et selon les sujets. Selon des approches de la réalité aussi. J'étais subjugué par la somme considérable d'informations contenues dans les titres que je classais patiemment. Ce qui m'avait étonné le plus lorsque je rangeais les livres, c'était de pouvoir recréer une image de la vie d'autres temps à partir des photographies et des peintures que recelaient nombre d'encyclopédies, de livres d'art et de guides pratiques. Je me perdais souvent durant de longues heures dans la contemplation des livres qui reproduisaient les œuvres artistiques de l'humanité, me demandant pourquoi les humains avaient imaginé autant de choses aussi belles et parfois aussi laides. On voyait de tout dans ces œuvres : de l'amour, de la guerre, de la nature, des îles avec des palmiers et des singes et la mer bleue qui dormait tranquillement autour des plages blanches. Je pouvais difficilement croire que tout cela avait existé un jour, malgré les preuves fournies par ces livres.

Si, de mon côté, je m'étais chargé principalement de classer les livres, Ninine, elle, avait étudié le système de fonctionnement des piles pour s'assurer qu'elles durent encore longtemps. Elle avait cherché avec moi, parmi les livres, un guide de mécanique et un autre sur les diverses formes d'énergie. Elle avait aussi consulté des encyclopédies spécialisées et avait découvert le plan d'urgence de la bibliothèque où il était expliqué comment on pouvait entretenir les piles. Quand Ninine se chargea de faire cet entretien, elle fut à même de constater par déduction que beaucoup de temps avait passé depuis la mise en marche des génératrices et des piles. Mais elle avait affirmé que nous aurions de l'énergie pour des centaines d'années à venir, comme nos prédécesseurs de la bibliothèque en avaient aussi bénéficié pendant toutes ces années passées. Il semblait que certains d'entre eux avaient pris un grand soin à prévoir et à mettre sur pied un système qui préserverait la vie des livres : c'était ainsi s'assurer la survie de la mémoire humaine.

Pour sa part, Groube avait tenu à aménager un coin de la bibliothèque après s'être inspiré de la photographie d'une bibliothèque du xxe siècle. Il avait retapé une vieille table de lecture et l'avait installée dans un coin de la bibliothèque. Il avait négligemment déposé dessus quelques livres pour créer l'illusion qu'on venait juste de les consulter. Puis il avait assis sur des chaises les quelques squelettes qui montaient la garde de la bibliothèque à notre arrivée une année plus tôt. Nous n'avions pas voulu nous en défaire, considérant que ce lieu leur appartenait autant qu'à nous maintenant. Et puis on se disait que cela ferait un peu de compagnie du côté de la mémoire et nous rappellerait qu'un jour, avec tous ces livres et ces morts, nous retrouverions peut-être la présence de la vie ailleurs ou celle de la réalité ici. Groube avait ensuite glissé des bouquins dans leurs mains. « Comme ça, ils trouveront le temps moins long et ça fera plus vivant ! » avait-il dit naïvement. Il était content de sa mise en scène qu'il trouvait « naturelle ».

Le reste de l'année, il l'avait passé à réparer des objets brisés et des murs qui menaçaient de s'effondrer partiellement, surtout ceux du tunnel de l'entrée. Groube avait camouflé l'accès de notre nouvelle maison, pour nous protéger contre d'éventuels combattants et contre les armées de rats qui auraient pu envahir notre demeure, même s'il apparaissait maintenant que toute vie avait quitté définitivement les contrées environnantes. Tante Lanoline lui avait finalement fait comprendre que si les rats étaient partis pendant l'année de la tempête, c'est qu'il avait dû se produire des événements importants ailleurs, en d'autres villes, et qu'ils avaient dû s'y rendre parce qu'ils allaient trouver là plus de chair à bouffer qu'ici. Pourquoi y avait-il eu cette tempête d'ailleurs ? Qu'est-ce qui l'avait provoquée ?

Tante Lanoline passait la majeure partie de son temps à chercher les causes de la destruction de notre ville : les raisons de ces guerres, comment elles s'étaient déroulées, avec quelles armes et quelles conséquences elles avaient eues pour nous. Elle consacrait presque toutes ses journées à la lecture. Elle consultait surtout les ouvrages d'histoire dans lesquels elle croyait trouver les réponses à ses questions. Ainsi, le soir venu, elle nous faisait part de ses découvertes. Elle nous racontait ce qu'elle nommait des « histoires vraies » : la guerre de Cent Ans, celle de Trente Ans, la Première Guerre mondiale, la Deuxième Guerre mondiale, la Guerre de Six Jours et combien d'autres encore, qui nous ramenaient dans le passé lointain de l'humanité. Lors de ces soirées, Zop écoutait attentivement le récit qu'elle faisait des événements. Quand elle avait terminé de raconter son « histoire vraie », invariablement, il commençait à gueuler : « Enfoirés ! Tas de cochons ! Bande de cons ! Idiots ! Imbéciles ! Crapules ! Bandits ! Assassins ! Criminels ! Soldats ! Combattants ! Violeurs ! Mangeurs d'enfants ! » et bien d'autres invectives encore. Zin, elle, assistait rarement à nos soirées de lecture. Elle en profitait généralement pour épousseter les os blancs des squelettes, à cause du respect à porter aux morts et pour qu'ils demeurent le plus vivants possible avec nous. Quand elle avait terminé de faire son « ménage », elle s'étendait sur le dos et contemplait le ciel du dôme qui était devenu pour elle le dôme du ciel. Ses yeux paraissaient refléter l'éclat du soleil pâle peint parmi les nuages. Dans ces moments, elle semblait devenir parfaitement heureuse en perdant son regard dans l'azur profond du plafond comme on perdrait son être entier dans le cosmos que certains ouvrages tentaient d'imaginer.

D'après l'étude des plans d'architecture de notre demeure, nous avions compris que la bibliothèque était située au centre d'une ville aujourd'hui complètement ensevelie sous les décombres. Ce devait être une ville importante, car la bibliothèque était imposante. Depuis combien de temps tout cela avait-il été détruit ? Probablement que la ville d'où nous venions ressemblait maintenant à celle-ci. Pour répondre à ces questions, nous avions eu l'idée de faire un inventaire des livres et de trouver celui dont la date de parution était la plus récente. Pendant longtemps, nous avions vérifié tous les exemplaires un à un. Les recherches avaient été longues parce que nous nous laissions souvent prendre au jeu de la lecture, au hasard de nos découvertes. À la fin de l'année, nous avions retrouvé quelques livres, rares, qui portaient comme date de parution l'an 0054. Après l'an 0054, plus rien ! Cette date correspondait avec celle de ma naissance. Nous en avions conclu que la ville de la bibliothèque avait été détruite cette année-là. La destruction s'était graduellement étendue ou déplaçée plus tard vers notre ville, celle où j'étais né dix-neuf ans auparavant, selon mes calculs. Par notre expédition, nous étions donc retournés vers un des lieux d'origine de la catastrophe, vers le début de la fin. La destruction semblait progressive et non cyclique, puisque la vie ne refaisait pas surface après la dévastation, selon toute vraisemblance. Nous en avions aussi déduit avec suffisamment de certitude que la dernière tempête subie aux abords de la ville, la veille où nous avions repéré sans le savoir la bibliothèque, avait dû être provoquée par des vents venus d'une autre ville qu'on venait de détruire. Souvent nous nous demandions s'il en demeurait une intacte quelque part sur la planète. S'il ne restait plus de civils vivants parmi les décombres, y avait-il au moins des combattants ? Nous en doutions fortement.

Lorsque nous songions à tout cela, notre désespoir devenait grand parce que nous prenions conscience de notre isolement et de la mort installée probablement en permanence sur toute la terre. Je regardais souvent les squelettes comme s'ils avaient été des miroirs nous renvoyant une image de ce que nous allions devenir dans quelques années. Pour me consoler, j'allais rejoindre Ninine pour regarder avec elle un livre illustré en couleurs dans lequel avaient été reproduits ou photographiés tous les modèles de camions de pompiers qui avaient déjà existé sur notre planète. Nous parlions de notre cour et de l'époque où nous étions petits.

Groube allait parfois en expédition pour tenter de déceler des signes de vie autour de la bibliothèque. Il revenait toujours pantois. Rien n'existait plus que nous.

Jour 21

L'an 0074 nous avait fait vieillir en amour profondément, Ninine et moi. Évidemment, nous avions imité la gymnastique amoureuse et nocturne de tante Lanoline et de Groube, qui sans s'en douter nous avaient tout de même servi de modèles. Nous aimions de plus en plus l'amour, au point de le faire plusieurs fois par jour. Dans un livre que nous avons consulté, on y disait que c'était normal à cause de l'âge et de la nouveauté de l'expérience. Nous avons été étonnés parce que nous croyions que la ferveur était causée par l'intensité de l'amour entre deux êtres et par l'oisiveté en général, ce dernier aspect faisant partie de l'ordre naturel des choses depuis que nous avions élu domicile à la bibliothèque. Même si nous lisions beaucoup, il restait encore du temps à meubler dans chacune de nos journées puisque nous n'avions guère à nous préoccuper de trouver nourriture, énergie, vêtements, tous ces éléments de la vie quotidienne nous ayant été fournis par nos prédécesseurs décédés.

Avec l'aide de tante Lanoline, nous avions recueilli et compris les dernières informations qui nous indiquaient comment faire ou ne pas faire un enfant, ce qui, dans les deux cas, était le comble du vieillissement en amour. Peu de choix s'offraient à nous. Tante Lanoline avait émis l'opinion que nous devrions prendre une décision. Alors Ninine et moi, nous avons discuté de la possibilité d'avoir un enfant. Ou plutôt, avons-nous finalement conclu, de l'impossibilité d'en élever un. Nous n'avions rien à lui offrir sinon une gigantesque bibliothèque et l'immense solitude d'un être sans ami. Moi, j'avais eu la chance de rencontrer Ninine et, en plus, d'en tomber amoureux. Groube était mon ami et tante Lanoline s'était occupée de moi comme une mère. Non! Comme une tante aussi! Et puis nous avions déjà adopté Groube, Ninine et moi. Qui accompagnerait notre enfant dans son aventure terrestre? Personne. Quel avenir aurait-il devant lui? Aucun, parce qu'il n'existait plus d'humains. Finis les semblables à naître! Tous morts les corelegionnaires, les copies presque conformes, les frères et sœurs, les prochains, les voisins, les gens de même race, les gens de couleurs différentes, les habitants d'un même pays, d'une même rue, les relations, les proches parents, les parents éloignés, les confidents, les liens de sang, la promiscuité, la chaleur humaine, les collègues, les ancêtres, la relève, la parenté en général, les amis comme les ennemis, les anonymes, les rencontres occasionnelles et tous les autres dont on parle dans certains livres que Ninine et moi avons presque appris par cœur. Ce vocabulaire ainsi mémorisé nous permettait de cerner avec précision des réalités qui, autrement, nous échappaient. Nous nommions les choses et les idées par les mots que nous apprivoisions dans ces ouvrages. Ainsi, après mûre réflexion, nous avions arrêté notre choix: nous mourrions seuls, chacun notre tour ou ensemble, mais une fois pour toutes, sans relève, sans poursuite de la vie parce qu'elle fuyait trop devant nous. Les mots que nous avions appris se perdraient, oubliés. Ça ne dérangerait personne, sauf nous.

Tante Lanoline et les livres de la bibliothèque nous avaient suffisamment informés des moments propices ou non à la procréation. Nous suivions à la lettre les instructions mentionnées afin de ne pas créer un petit être Ninine-Bim dans le ventre de l'amour et de la vie. Quand Ninine n'avait pas compté les jours, c'est moi qui l'avais fait. Mais c'était difficile depuis que nous ne voyions plus la nuit. Je lui indiquais ce qui me semblait être les bons et les mauvais moments. Et les jours continuaient de défiler sous l'ombre du ciel bleu qui nous protégeait de l'univers blanchi à l'extérieur de notre demeure. C'est sans grand déchirement que nous avions assumé notre décision.

Cependant, je m'étais aperçu un jour que le ventre de Ninine avait grossi. Je lui suggérai de diminuer la quantité de nourriture qu'elle avalait avec avidité depuis quelque temps. Je lui conseillai aussi de faire des exercices appropriés pour se tenir en forme. Mais son ventre s'arrondissait de plus en plus. Aucune de mes suggestions, qu'elle avait pourtant mises en pratique, ne produisait le résultat escompté. Elle avait faim, prenait du poids, mais se sentait en pleine forme. Au bout de quelques mois, la forme de son ventre ne laissait planer aucun doute sur son état. Nous avions pensé qu'elle pouvait être malade, mais nous devions nous rendre à l'évidence : Ninine était enceinte. L'ordre naturel des choses nous avait réservé une surprise. Nous croyions le connaître cet ordre, mais il n'en était rien. Il changeait de visage à notre insu. Malgré notre prudence et notre zèle à suivre au pied de la lettre les recommandations médicales concernant les cycles de la reproduction, l'ordre naturel nous avait déjoués. Nous avons dû en conclure que la période de fertilité chez la femme avait été bouleversée par l'ordre naturel des choses. Le fonctionnement de notre organisme avait été modifié d'une façon que nous ignorions. Nous ne savions pas depuis quand s'étaient opérés ces changements.

Quand tante Lanoline leur avait appris la nouvelle, Zin s'était roulée par terre tellement elle avait ri, Zop avait arraché en gueulant la tête d'un squelette et Groube avait demandé à être choisi comme parrain de l'enfant. Pendant les semaines qui suivirent, Zop occupa la majeure partie de son temps à essayer de replacer la tête du squelette auprès duquel il se confondait quotidiennement en excuses. Groube avait déjà commencé à fabriquer un berceau avec des morceaux de bois récupérés ici et là. Il passait ainsi de longues heures à l'extérieur et, fait surprenant, malgré les efforts fournis à la tâche, il ne mangeait presque plus.

Un jour où je l'avais suivi dehors à son insu, je le surpris en quête de rats. Il n'en avait pas trouvé puisqu'ils semblaient avoir quitté nos contrées depuis longtemps. Mais en fouillant les trous abandonnés qui leur servaient de cachettes, il avait mis la main sur des bouts de carton à moitié mâchés et il s'en était repu, debout dans la poussière blanche, la tête bien haute comme s'il faisait face à un destin quelconque. J'allai alors le rejoindre.

— Salut ! Je ne savais pas que tu étais venu par ici. Je cherche des bouts de bois avec des clous pour fortifier le lit de Zop ! lui dis-je, l'air innocent. Lui, il avait aussitôt jeté par terre le bout de carton qu'il tenait dans la main.

— Tu m'as vu faire, hein ? me répondit-il nerveusement. Je regardais dans la même direction que lui, droit devant, c'est-à-dire nulle part ailleurs qu'à travers la poussière et la grisaille. Dans le vide.

— Oui ! Qu'est-ce que tu mangeais ? lui demandai-je sans détour pendant que je sentais qu'il se tortillait de tout son corps, envahi par la culpabilité. En ces occasions-là, il me considérait comme son père.

— Tu sais, c'est pas pour éviter de vous en donner que je me cache ainsi de manger. Si je vous en offrais, vous n'en voudriez pas. C'est dégueulasse à bouffer ! me répondit-il. Sa grosse tête s'était penchée et son regard avait délaissé l'horizon blanc du destin. Il était gêné comme un enfant surpris en train de faire un mauvais coup. Moi, je regardais le bout de carton visqueux de salive, dégoûtant. Mais j'ignorais toujours pourquoi Groube s'empiffrait de cette cochonnerie au lieu de manger à la bibliothèque.

— C'est quoi, ça ? lui dis-je en lui montrant du regard le restant de son repas qui s'empoussiérait par terre.

— Si c'est bon pour les rats, c'est bon pour moi ! Je mangeais des rats et maintenant je bouffe ce que les rats avalaient ! répliqua-t-il sèchement.

— Mais on a de la nourriture à la bibliothèque ! Pourquoi tu manges pas avec nous ? Tu fais encore une dépression ou quoi ? m'impatientai-je.

— Eh bien voilà ! Tu vas rire de moi, mais c'est à cause du petit ! C'est parce que je suis son parrain, tu vois ? Moi, je peux avaler cette merde ! Ça ne me dérange pas ! Mais le petit, lui, il faut pas qu'il manque de nourriture ! m'avoua-t-il enfin. Il avait son air triste de l'époque de l'autre ville. Il se ressemblait comme aux jours où il se faisait battre par les écoliers. Il n'avait pas l'air certain que je comprenne bien ses propos et il se trémoussait sans cesse.

— Mais l'enfant se nourrira avec ce qu'on possède ! Et toi aussi ! lui expliquai-je. Mais je sentis au même moment monter en moi une certaine inquiétude qui se transforma rapidement en un sentiment de désarroi. Des larmes étaient apparues dans mes yeux. Groube me ramenait à la réalité. J'étais troublé parce que je me demandais si la vie ailleurs que nous cherchions ici existait. Moi, je n'y croyais plus. La réalité, c'était donc ainsi qu'elle existait, c'était ce qui se passait et rien d'autre. À moi-même, je pouvais me cacher cette évidence si j'étais seul. Mais ça m'était interdit depuis que je savais que nous serions deux : mon enfant et moi.

— Tu sais, je veux pas te faire de peine, Bim ! De la nourriture, il y en a pour longtemps encore, c'est vrai ! Mais peut-être pas assez pour tout le temps que vivra le petit. Je veux pas qu'il mange du rat ou du carton quand nous serons morts et qu'il ne restera plus rien ! m'assura-t-il de tout son être révolté contre quelque chose devant lequel il se sentait impuissant. Tout autant que moi.

— Viens, Groube. Rentrons ! proposai-je en convenant avec lui que nous n'en parlerions pas aux autres pour éviter de les inquiéter. Nous ne devions pas transmettre nos angoisses à ceux qui ne souffraient pas. Je tentais de me contenir et de détourner le regard afin que Groube ne voie pas mes yeux pleins d'eau. Mais les respirations profondes que je prenais trahissaient ma peine.

J'avais été sidéré par le problème que Groube avait relevé, parce qu'il contenait tous les autres concernant la vie de mon enfant. Groube avait parlé de la bouffe, parce que Groube demeurait en tous points quelqu'un d'instinctif et de pratique. Mais il aurait pu être question de l'amour que mon enfant ne connaîtrait pas, de la solitude qui lui tiendrait lieu de sens à la vie et de tout le reste que je préférais ne pas imaginer. Cet enfant que nous attendions me faisait penser au personnage d'un roman que j'avais lu dans notre bibliothèque : Robinson Crusoé, mais sans Vendredi, avec peut-être pour seule compagnie l'équivalent d'indigènes hostiles, demeurant sur une île dévastée qui débordait de poussière blanche, sans perroquet, sans soleil sinon celui qui avait été peint au plafond de notre demeure. J'avais enfin vraiment pris conscience que notre première décision, celle de ne pas avoir d'enfant, demeurait la meilleure. Je comprenais mieux aussi ce qu'était le destin. Il était déjà en marche dans le ventre de Ninine. Il jouait déjà à la vie et à la mort. Il nous avait joué un tour pendable. Il jouait à un jeu sérieux. Je m'étais mis à détester de tout mon être le mot « jouer ». Et je me demandais constamment ce que je pouvais faire de plus dans les circonstances.

D'autres semaines avaient passé, qui m'avaient rendu encore plus anxieux à propos de mon bébé dont l'arrivée était prévue sous peu. L'air était devenu vicié et plus rare depuis quelque temps. Nous éprouvions tous une grande difficulté à respirer. Quelque chose s'était encore produit dans l'ordre naturel des choses qui évoluait constamment, surtout vers la fin de l'année 0074. Nous faiblissions et maigrissions à vue d'œil. Les piles électriques de la bibliothèque gardaient moins facilement leur charge. Elles alimentaient toujours l'éclairage, mais avec beaucoup moins d'intensité. Nos yeux avaient dû s'habituer à une lumière blafarde. Du coup, nous avons perdu de vue le ciel peint au plafond de la bibliothèque. Pour nous rendre d'une section à une autre de notre demeure, il fallut bientôt marcher en parant avec les bras étendus devant nous. À moins d'un mètre de notre regard, la noirceur nous dévisageait.

Impuissant à changer quoi que ce soit à cet état de fait, depuis quelques semaines j'avais commencé à écrire. Je m'étais consacré tout entier à imiter la façon de faire des romans que j'avais lus. J'en avais changé le contenu pour le remplacer par notre histoire. J'essayais de ne pas m'étendre sur trop de détails. Je tentais de conserver uniquement ceux qui demeuraient plus vivants dans mes souvenirs et qui me semblaient plus significatifs. Je voulais léguer une mémoire, un passé à mon enfant. J'avais rédigé très rapidement pour rattraper le temps perdu. Et je parvins ainsi au moment présent.

Jour 22

À la fin de chaque journée, quand je sais ce qu'est une journée, j'écris maintenant ce qui s'est passé pour que mon enfant ne perde rien des événements. Il faut dire que j'ai perdu toute notion du jour et de la nuit, des heures et des minutes, des semaines et des mois. Le temps se dilate et se contracte comme s'il allait agoniser dans une crise de spasmes, de convulsions violentes qui l'aboliraient une fois pour toutes. Notre situation est précaire. Depuis le début de cette nouvelle année de 0075 que j'imagine pour me situer à l'intérieur d'un temps qui pourrait être vraisemblable, en cette année de je ne sais plus quel siècle ou millénaire, un sentiment d'urgence me fait poursuivre mon histoire, car mon enfant ne saurait tarder à se pointer le bout du nez.

Il y a peu de temps de cela, du moins je le crois, je me suis rendu à tâtons vers la table des squelettes. Je fais cette ronde aussi souvent que je le peux pour me tenir au courant de notre vie et savoir où tout le monde en est. Parvenu près du premier premier corps osseux, j'ai interpellé Zop qui n'a pas répondu, comme à son habitude. J'ai fait le tour de la table pour le trouver. Il n'y était pas. Zin non plus d'ailleurs. Puisqu'ils ne quittaient plus leur chaise depuis quelque temps, j'ai immédiatement soupçonné que quelque chose n'allait pas. L'idée m'est venue de compter les squelettes. J'ai alors tourné encore une fois autour de la table et j'ai compté deux squelettes de plus. Zop et Zin étaient morts. Je les ai repérés facilement parce qu'il restait quelques cheveux sur leur crâne. Chacun, ils tenaient un livre à la main. Malgré l'obscurité, je pus remarquer que Zop ne semblait plus gueuler. Au contraire, la mâchoire inférieure suspendue à son crâne donnait l'impression de quelqu'un qui rit. Il était assis à côté de Zin qui offrait la même expression de joie. Ils avaient l'air calme et détendu des autres squelettes. Comme quoi ils étaient bien morts. Je les laissai là en compagnie de ceux qui étaient devenus leurs amis pour toujours.

En retournant vers Ninine, je me touchai le visage : je sentais mes os sous une couche de peau toute menue. Je me tâtai alors un peu partout et réalisai que j'étais maigre comme ces humains qu'on avait autrefois affamés volontairement à plusieurs époques de l'histoire pour qu'ils meurent, et dont j'avais lu l'histoire dans certains livres. Je me sentais vieux malgré le début de ma vingtaine. Je me traînais plus que je ne marchais. J'annonçai la mort de nos grands-parents à Ninine qui pleura un peu, mais se consola rapidement lorsque je lui dis qu'ils lisaient à la table, l'air content d'être avec leurs amis. Je regardai Ninine comme je ne l'avais pas fait depuis un certain temps. Elle aussi se tenait dans un corps décharné, à l'exception de l'énorme renflement qui lui faisait une montagne sur le ventre.

Lorsque j'allai annoncer la nouvelle à Groube et à tante Lanoline, je me promis de ne pas les regarder pour éviter de constater chez eux aussi la maigreur qui nous affligeait tous sans aucun doute. Je les trouvai couchés sur leur grabat, l'un à côté de l'autre. Je ne m'approchai pas suffisamment d'eux pour distinguer leur visage dans la noirceur permanente de notre demeure. À l'annonce de la mort de Zop et de Zin, tante Lanoline me répondit d'une voix faible, sur un ton résigné, las, que ce devait être l'ordre naturel des choses. Groube, lui, ne dit rien, mais je l'entendis laisser échapper quelques sanglots qui cessèrent rapidement. Ils ne bougeaient toujours pas. Je me dis qu'ils devaient être bien faibles. Je fis donc demi-tour pour retrouver Ninine. Mais je n'avais pas aussitôt le dos tourné que des bruits d'os qui s'entrechoquaient traversèrent les ténèbres pour se rendre jusqu'à moi. Je ne m'arrêtai pas et continuai mon chemin. Quand les chocs furent devenus plus violents, j'entendis alors deux gémissements distincts, celui de Groube et celui de Lanoline. Je compris qu'avec la force de la vie, celle de l'amour, ils s'étaient unis une dernière fois dans la mort. Je ne retournai pas les voir. Je savais qu'ils demeureraient avec nous, tout comme Zop et Zin. Quand le bébé naîtrait, j'irais lui montrer leurs squelettes et je lui raconterais leur histoire.

Je ne peux pas expliquer ce qui s'est passé pour Groube, Zop, tante Lanoline et Zin. C'est l'ordre naturel des choses qui agit et qui demeure mystérieux et inexplicable. Cet ordre et les événements qu'il provoque, je les décris pour le petit. Peut-être saura-t-il en faire quelque chose. Ça l'aidera à se débrouiller dans la vie s'il est mal pris un jour. Peut-être.

Maintenant, Ninine commence à ressentir des douleurs. Elle est incapable de se lever parce qu'elle est trop faible. Elle m'a demandé de trouver des bouts de tissus et de remplir des récipients d'eau. Je suis allé à la source qui coule sous le plancher de la bibliothèque, mais elle est quasi à sec. J'ai réussi à recueillir une petite quantité d'eau boueuse que je lui ai portée.

Je perds mes forces moi aussi. L'oxygène est de plus en plus rare. Quand Ninine halète, elle se retrouve fréquemment à bout de souffle et je dois alors lui insuffler de l'air de bouche à bouche. Je prends toujours des notes brèves dans mon cahier. Ninine ne crie jamais, parce qu'elle n'en a plus la force. J'essuie ses beaux cheveux blancs trempés de sueur. Elle tente de me dire quelque chose. Je me penche vers elle, car je crois qu'elle achève de parler dans la vie. Je vais perdre ma Ninine, je le vois bien. C'est la réalité. Elle m'embrasse doucement sur la joue et laisse échapper un dernier « Je vous aime ! » qu'elle avait pris l'habitude de dire depuis qu'elle était enceinte. Voilà ! Ninine ne respire plus. Seules mes larmes me rappellent que je suis encore vivant moi-même, tellement je m'épuise vite.

Je vois alors émerger lentement d'entre les cuisses de Ninine une grosse tête rouge. Je me traîne péniblement vers le bassin de Ninine qui pousse la vie à mesure que la mort prend demeure en son corps. La tête de l'enfant est sortie et bientôt je vois apparaître les épaules et les bras. Le vagin est complètement distendu et le bébé s'aide de ses petites mains pour s'extirper complètement de l'orifice. Je ne peux presque plus bouger : je suis paralysé de partout, sauf de la main qui écrit et sur laquelle je concentre mes dernières énergies. Mon enfant se traîne par terre vers moi. Il a la carrure de Groube, il semble costaud, mais il a hérité de ma bouche, de mon visage et des cheveux blancs de Ninine. Il a le dessus de la tête tout blanc. Il ouvre deux grands yeux et me regarde l'air étonné, même s'il semble comprendre, lui, ce qui se passe ici. Mais c'est naturel pour les enfants d'être étonnés par ce qu'ils comprennent. Ce qu'on comprend demeure étonnant quand ça l'est ! C'est tout. Je me sens devenir comateux et je me dépêche d'imaginer la fin de l'histoire pour laisser à mon enfant un livre complet. Il me regarde écrire ce qui va se passer. Il n'aura qu'à faire la part des choses.

Quand j'aurai terminé dans quelques instants et que je serai mort, il prendra le livre de mes mains pour le conserver avec lui et, peut-être, le réécrire, mais surtout le poursuivre. Histoire de faire la part des choses. Nous nous sommes bien compris.

Puis il m'embrasse sur le front avec ses lèvres baveuses. Après s'être traîné par terre, s'aidant comme d'une corde de son cordon ombilical encore accroché à Ninine, il grimpe sur le ventre de sa mère et va l'embrasser elle aussi sur le front. Il descend ensuite de la poitrine et s'installe bien assis sur le ventre de sa mère. Il scrute autour de lui dans la bibliothèque et, après avoir jeté un dernier coup d'œil à la noirceur de notre demeure, il se laisse glisser jusqu'aux cuisses de Ninine. Il ouvre l'entrée du vagin et retourne péniblement d'où il est sorti. Il rentre tête première dans le ventre de sa mère, n'ayant conservé de ce monde que le livre que je lui ai écrit. Le livre de notre histoire et de la sienne jusqu'à ce jour. Quand il sera mal pris, il pourra le consulter. Peut-être que ça l'aidera. Peut-être.

Puis le ventre de Ninine grossit et grossit encore. Comme si quelqu'un grandissait en dedans. Par les formes du ventre, on devine qu'un enfant est assis à l'intérieur et qu'il tient dans ses mains un livre qu'il lit consciencieusement. À mesure que l'enfant grandit, le ventre augmente de dimension et il remplit bientôt la bibliothèque au complet, détruisant tout à mesure qu'il prend de l'expansion. Il atteint maintenant la taille d'une montgolfière géante. Son envelopppe fait pression sur toute la structure de la bibliothèque. Le ventre est à l'étroit ici, dans le ventre même d'une ville morte, sous le dôme enceint de la bibliothèque. Notre enfant est assis à l'intérieur et il lit. Ninine n'est plus qu'un énorme ballon qui quitte le sol de la bibliothèque et défonce avec un craquement terrible le ciel du plafond peint en bleu, pour se perdre parmi la blancheur aveuglante des nuages.

Jour 0

À la fin de cette nuit-là qui avait été longue, le jour vint mettre au monde ce qui serait dorénavant. Moi.

Comme à l'habitude en ces occasions, la planète s'était couverte de marguerites blanches géantes. Le soleil plombait sur tous les côtés du globe. Il faisait beau puisque c'était l'été et, par hasard, cet été-là était très beau. Ce qui donnait l'impression d'un bonheur possible éternellement. Les mers baignaient calmement en elles-mêmes, tièdes et remplies à ras bords de poissons multicolores : poissons-papillons à collier, poissons-papillons à selle, chelmons à bec médiocre, bêches atlantiques, baleines, calmars ou thons. Des gros, des petits. Les anémones, les algues, les coraux coloraient de motifs mystérieux les vagues jade de l'eau presque transparente dans laquelle se promenaient tranquillement des langoustes heureuses et de paresseuses méduses. Sur les plages blanches et vierges, les tortues venaient se vautrer à plat ventre pour pondre leurs œufs dans la chaleur du sable fin. Dans les arbres, toutes sortes de fruits apparaissaient parmi les feuilles vertes et tendres sur lesquelles les cigales striaient de leur chant la brise légère. Dans les grottes, les stalactites et les stalagmites se rejoignaient plus rapidement qu'auparavant pour former ainsi de paisibles demeures à colonnades intérieures. Les volcans fleurissaient leurs flancs plutôt que de les brûler et les tempêtes ne détruisaient plus ce qui naissait un peu partout sur terre. Quand il pleuvait, c'était parce qu'il le fallait, pour permettre une germination meilleure encore. Les pluies étaient bonnes et brèves. Un bleu de pastel collait au ciel traversé par des vols d'hirondelles, d'outardes, de canards et de pélicans nonchalants. Les fourmis prenaient leur temps pour creuser leurs galeries sous les plaines fertiles où s'ébattaient des chevaux et peut-être même des bisons. Quelques marmottes aussi, et des renards amoureux. Cependant pas de chiens, ni de chats, ni de perruches, ni de poissons rouges, ni d'avions. Mais des abeilles, sûrement. Les ruisseaux limpides, peuplés de nénuphars, de joncs et de truites farouches, parcouraient de mille reflets les berges vertes de grenouilles. Des arbres trop gros dormaient par terre, qui retournaient nourrir ainsi les plus jeunes d'entre eux, debout, appelés à les rejoindre un jour à leur tour. Le sous-bois transpirait doucement de tendres parfums et la lumière du jour, çà et là, se reposait sur les fragiles toiles que les araignées tissaient patiemment entre les écorces. Toute la forêt écoutait le chant des tourterelles, lesquelles se faisaient la cour avec passion. Il régnait cet été-là une harmonie incomparable entre toutes choses de la nature. Le lierre courait sur les pierres et les loups après les souris. Rien n'était inutile. Des montagnes les plus hautes aux eaux les plus profondes, des insectes fragiles aux pachydermes démesurés, rien n'était de trop ni ne manquait. Ça respirait de vie. Les champs jaunes étaient jaunes et le fond de l'air était chaud et sec comme il se doit par beau temps. Un bel ordre régnait sur le monde à ce moment-là.

Mais comme d'habitude, ça ne dura pas. À peine quelques secondes. Ce n'était pas la première fois que cela arrivait. Et probablement pas la dernière. Comme toujours, l'histoire se répétait. Cette fois, c'était pour moi. Peut-être aurait-il mieux valu ne pas en faire tout un plat. Mais c'était beau de penser à cela en dedans, puisque c'était ainsi.

TABLE

COLLECTION FICTIONS

Robert Baillie, *Soir de danse à Varennes*
Robert Baillie, *Les voyants*
François Barcelo, *Aaa, Aâh, Ha ou Les amours malaisées*
France Boisvert, *Les samouraïlles*
France Boisvert, *Li Tsing-tao ou Le grand avoir*
Christine Bonenfant, *Pour l'amour d'Émilie*
Réjean Bonenfant, Louis Jacob, *Les trains d'exils*
Nicole Brossard, *Le désert mauve*
Gilbert Choquette, *L'étrangère ou Un printemps condamné*
Gilbert Choquette, *La Nuit yougoslave*
Guy Cloutier, *La cavée*
Diane-Jocelyne Côté, *Lobe d'oreille*
Norman Descheneaux, *Fou de Cornélia*
Renée-Berthe Drapeau, *N'entendre qu'un son*
Andrée Ferretti, *Renaissance en Paganie*
Lise Fontaine, *États du lieu*
Madeleine Gaudreault Labrecque, *La dame de pique*
Gérald Godin, *L'ange exterminé*
Marcel Godin, *Après l'Éden*
Marcel Godin, *Maude et les fantômes*
Pierre Gravel, *La fin de l'Histoire*
Pauline Harvey, *Pitié pour les salauds !*
Luc Lecompte, *Le dentier d'Énée*
Raymond Lévesque, *Lettres à Éphrem*
Réjean Legault, *Lapocalypse*
Francine Lemay, *La falaise*
Jacques Marchand, *Le premier mouvement*
Joëlle Morosoli, *Le ressac des ombres*
Alphonse Piché, *Fables*
Simone Piuze, *Les noces de Sarah*
Pierre Savoie, *Autobiographie d'un bavard*
Julie Stanton, *Miljours*
Pierre Vallières, *Noces obscures*
Yolande Villemaire, *Vava*
Paul Zumthor, *Les contrebandiers*
Paul Zumthor, *La fête des fous*

ROMANS

Gilles Archambault, *Les pins parasols*
Gilles Archambault, *Le voyageur distrait*
Robert Baillie, *Soir de danse à Varennes*
Robert Baillie, *Les voyants*
François Barcelo, *Aaa, Aâh, Ha ou Les amours malaisées*
François Barcelo, *Agénor, Agénor, Agénor et Agénor*
Jean Basile, *Le Grand Khān*
Jean Basile, *La jument des Mongols*
Claude Beausoleil, *Dead Line*
Michel Bélair, *Franchir les miroirs*
Paul-André Bibeau, *La tour foudroyée*
Julien Bigras, *L'enfant dans le grenier*
France Boisvert, *Les samourailles*
France Boisvert, *Li Tsing-tao ou Le grand avoir*
Christine Bonenfant, *Pour l'amour d'Émilie*
Réjean Bonenfant, Louis Jacob, *Les trains d'exils*
Roland Bourneuf, *Reconnaissances*
Marcelle Brisson, *Par delà la clôture*
Nicole Brossard, *L'amèr ou Le chapitre effrité*
Nicole Brossard, *Le désert mauve*
Marielle Brown-Désy, *Marie-Ange ou Augustine*
Gilbert Choquette, *L'étrangère ou Un printemps condamné*
Gilbert Choquette, *La mort au verger*
Gilbert Choquette, *La Nuit yougoslave*
Guy Cloutier, *La cavée*
Guy Cloutier, *La main mue*
Collectif, *Montréal des écrivains*
Diane-Jocelyne Côté, *Lobe d'oreille*
Norman Descheneaux, *Fou de Cornélia*
Renée-Berthe Drapeau, *N'entendre qu'un son*
Marie-France Dubois, *Le passage secret*
France Ducasse, *Du lieu des voyages*
David Fennario, *Sans parachute*
Andrée Ferretti, *Renaissance en Paganie*
Jacques Ferron, *Les confitures de coings*
Lise Fontaine, *États du lieu*
Lucien Francœur, *Roman d'amour*
Lucien Francœur, *Suzanne, le cha-cha-cha et moi*
Marie-B. Froment, *Les trois courageuses Québécoises*
Madeleine Gaudreault Labrecque, *La dame de pique*
Louis Geoffroy, *Être ange étrange*
Louis Geoffroy, *Un verre de bière mon minou*
Robert G. Girardin, *L'œil de Palomar*
Robert G. Girardin, *Peinture sur verbe*
Arthur Gladu, *Tel que j'étais...*
Gérald Godin, *L'ange exterminé*
Marcel Godin, *Après l'Éden*
Marcel Godin, *Maude et les fantômes*
Luc Granger, *Amatride*
Luc Granger, *Ouate de phoque*
Pierre Gravel, *À perte de temps*
Pierre Gravel, *La fin de l'Histoire*
Jean Hallal, *Le décalage*
Thérèse Hardy, *Mémoires d'une relocalisée*
Pauline Harvey, *Pitié pour les salauds !*
Suzanne Jacob, *Flore cocon*
Claude Jasmin, *Les cœurs empaillés*
Claude Jasmin, *Pleure pas, Germaine*
Yerri Kempf, *Loreley*
Louis Landry, *Vacheries*
Claude Leclerc, *Piège à la chair*
Luc Lecompte, *Le dentier d'Énée*
Réjean Legault, *Lapocalypse*
Francine Lemay, *La falaise*
Marie Letellier, *On n'est pas des trous-de-cul*
Raymond Lévesque, *Lettres à Éphrem*
Andrée Maillet, *Lettres au surhomme*
Andrée Maillet, *Miroir de Salomé*
Andrée Maillet, *Les Montréalais*
Andrée Maillet, *Profil de l'orignal*
Andrée Maillet, *Les remparts de Québec*
André Major, *Le cabochon*
André Major, *La chair de poule*
Jacques Marchand, *Le premier mouvement*
Joëlle Morosoli, *Le ressac des ombres*
Madeleine Ouellette-Michalska, *La femme de sable*
Madeleine Ouellette-Michalska, *Le plat de lentilles*
Paul Paré, *L'antichambre et autres métastases*
Alice Parizeau, *Fuir*
Pierre Perrault, *Toutes isles*
Léa Pétrin, *Tuez le traducteur*
Alphonse Piché, *Fables*
Simone Piuze, *Les noces de Sarah*
Jacques Renaud, *Le cassé et autres nouvelles*
Jacques Renaud, *En d'autres paysages*
Jacques Renaud, *Le fond pur de l'errance irradie*
Jean-Jules Richard, *Journal d'un hobo*
Claude Robitaille, *Le corps bissextil*
Claude Robitaille, *Le temps parle et rien ne se passe*
Saâdi, *Contes d'Orient*
Pierre Savoie, *Autobiographie d'un bavard*
Jean Simoneau, *Laissez venir à moi les petits gars*
Julie Stanton, *Miljours*
François Tétreau, *Le lit de Procuste*
Pierre Vallières, *Noces obscures*
Yolande Villemaire, *Vava*
Paul Zumthor, *Les contrebandiers*
Paul Zumthor, *La fête des fous*

COLLECTION DE POCHE TYPO

1. Gilles Hénault, *Signaux pour les voyants*, poésie, préface de Jacques Brault (l'Hexagone)
2. Yolande Villemaire, *La vie en prose*, roman (Les Herbes Rouges)
3. Paul Chamberland, *Terre Québec* suivi de *L'afficheur hurle*, de *L'inavouable* et d'*Autres poèmes*, poésie, préface d'André Brochu (l'Hexagone)
4. Jean-Guy Pilon, *Comme eau retenue*, poésie, préface de Roger Chamberland (l'Hexagone)
5. Marcel Godin, *La cruauté des faibles*, nouvelles (Les Herbes Rouges)
6. Claude Jasmin, *Pleure pas, Germaine*, roman, préface de Gérald Godin (l'Hexagone)
7. Laurent Mailhot, Pierre Nepveu, *La poésie québécoise*, anthologie (l'Hexagone)
8. André-G. Bourassa, *Surréalisme et littérature québécoise*, essai (Les Herbes Rouges)
9. Marcel Rioux, *La question du Québec*, essai (l'Hexagone)
10. Yolande Villemaire, *Meurtres à blanc*, roman (Les Herbes Rouges)
11. Madeleine Ouellette-Michalska, *Le plat de lentilles*, roman, préface de Gérald Gaudet (l'Hexagone)
12. Roland Giguère, *La main au feu*, poésie, préface de Gilles Marcotte (l'Hexagone)
13. Andrée Maillet, *Les Montréalais*, nouvelles (l'Hexagone)
14. Roger Viau, *Au milieu, la montagne*, roman, préface de Jean-Yves Soucy (Les Herbes Rouges)
15. Madeleine Ouellette-Michalska, *La femme de sable*, nouvelles (l'Hexagone)
16. Lise Gauvin, *Lettres d'une autre*, essai/fiction, préface de Paul Chamberland (l'Hexagone)
17. Fernand Ouellette, *Journal dénoué*, essai, préface de Gilles Marcotte (l'Hexagone)
18. Gilles Archambault, *Le voyageur distrait*, roman (l'Hexagone)
19. Fernand Ouellette, *Les heures*, poésie (l'Hexagone)
20. Gilles Archambault, *Les pins parasols*, roman (l'Hexagone)
21. Gilbert Choquette, *La mort au verger*, roman, préface de Pierre Vadeboncœur (l'Hexagone)
22. Nicole Brossard, *L'amèr ou Le chapitre effrité*, théorie/fiction, préface de Louise Dupré (l'Hexagone)
23. François Barcelo, *Agénor, Agénor, Agénor et Agénor*, roman (l'Hexagone)
24. Michel Garneau, *La plus belle île* suivi de *Moments*, poésie (l'Hexagone)
25. Jean Royer, *Poèmes d'amour*, poésie, préface de Noël Audet (l'Hexagone)
26. Jean Basile, *La jument des Mongols*, roman, préface de Carole Massé (l'Hexagone)
27. Denise Boucher, Madeleine Gagnon, *Retailles*, essais/fiction (l'Hexagone)
28. Pierre Perrault, *Au cœur de la rose*, théâtre, préface de Madeleine Greffard (l'Hexagone)
29. Roland Giguère, *Forêt vierge folle*, poésie, préface de Jean-Marcel Duciaume (l'Hexagone)
30. André Major, *Le cabochon*, roman (l'Hexagone)
31. Collectif, *Montréal des écrivains*, fiction, présentation de Louise Dupré, Bruno Roy, France Théoret (l'Hexagone)
32. Gilles Marcotte, *Le roman à l'imparfait*, essai (l'Hexagone)
33. Berthelot Brunet, *Les hypocrites*, roman, préface de Gilles Marcotte (Les Herbes Rouges)
34. Jean Basile, *Le Grand Khān*, roman, préface de Carole Massé (l'Hexagone)
35. Raymond Lévesque, *Quand les hommes vivront d'amour...*, chansons et poèmes, préface de Bruno Roy (l'Hexagone)
36. Louise Bouchard, *Les images*, récit (Les Herbes Rouges)
37. Jean Basile, *Les voyages d'Irkoutsk*, roman, préface de Carole Massé (l'Hexagone)
38. Denise Boucher, *Les fées ont soif*, théâtre, introduction de Lise Gauvin, préface de Claire Lejeune (l'Hexagone)
39. Nicole Brossard, *Picture Theory*, théorie/fiction, préface de Louise H. Forsyth (l'Hexagone)
40. Robert Baillie, *Des filles de Beauté*, roman, entretien avec Jean Royer (l'Hexagone)
41. Réjean Bonenfant, *Un amour de papier*, préface de Gérald Gaudet (l'Hexagone)

Cet ouvrage composé en Times corps 12
a été achevé d'imprimer
aux Ateliers graphiques Marc Veilleux
à Cap-Saint-Ignace en février 1990
pour le compte des
Éditions de l'Hexagone

Imprimé au Québec (Canada)